働きたくなる職場 の つくり方

世界約100ヶ国、10,000社以上を調査研究する機関が明かす

Great Place To Work® Institute Japan 代表
荒川陽子

かんき出版

仕事をして
嬉しい瞬間、楽しい瞬間、最高の瞬間とは
どんな場面でしょうか。

「自分がした仕事で、
『ありがとう』という言葉を聞けた時」

「目の前の仕事に没頭して、成果を実感し、
　自分の成長と可能性の広がりを感じた時」

「時に、歯を食いしばることがあっても、
　自分の仕事が人の記憶に残るものになった時」

「自分の能力が最大限に発揮できて、
　いい汗をかいている実感がある時」

「チームで意見を出し合って、
　時にぶつかり合い、補い合い、
　世の中があっと驚くようなものをつくれた時」

そんな、仕事の素晴らしい"瞬間"が
あることと思います。

仕事のやる気が高まる、
そんな場面ではないでしょうか。

しかし、次のように感じる人も
多いのではないでしょうか。

「素晴らしい瞬間は、あくまで一時的なもの。
　仕事とは、基本的に辛いものであり、
　生活のために我慢して勤めるものだ」

実際に、私もそう考えていた時期もありました。

そんな時、私たちは次のようなことに
辟易しているかもしれません。

「乾いた人間関係」

「厳しすぎる上司」

「頑張っても成果が出ない、評価されない」

「永遠に続くと思われるクレーム対応」

「睡眠時間を削らなければ終わらない日々の仕事」

これらのことが発生する"問題のある職場"に
「……これが現実。仕事は楽しいものではない」
そう溜息まじりに言いたくなるかもしれません。

これでは仕事に向き合う以前の問題です。

仕事をする場である"職場"の課題を
明らかにして、解決していくことが、
今、求められているのではないでしょうか。

経営者・管理職・従業員……、職場にいる
全ての人が、今一度、職場に目を向け、
自身の役割でできることを行っていく。

そうすることで、
次のようなことが起こることでしょう。

「その場にいる人のやる気が引き出され、
　健全な働き方ができ、
　一人一人の持っている力が最大限に発揮される」

「目標に導かれ、チームが成長する」

「交流が生まれ、会社が機能する」

そんな"働きがいのある職場"に
生まれ変わることでしょう。

本書は、働く場所としての職場に
改めてフォーカスし、
「働きやすさ」と「やりがい」を兼ね備えた
「働きがい」の視点で変革をもたらす本です。

　初めまして。

　私は、Great Place To Work® Institute Japan（株式会社働きがいのある会社研究所）の代表を務める荒川陽子と申します。

　これまで、さまざまな企業を「働きがい」の視点で調査・分析してきました。働きがいとは、簡潔に言うと、安心して快適に働ける「働きやすさ」とやる気に溢れる「やりがい」からなるものであり、働きたくなる職場をつくる根本にある考え方です。

　働きがいの調査・分析は、日本で634社に年間導入いただいています（2023年4月時点）。導入された会社は自社の課題を明らかにすることに成功し、その解決に取り組んでおられます。次第にその成果が形となって現れる会社が多くあります。

　一方で、世の中には職場の働きがいに目を向けず、やみくもに業績アップのみを追い求める会社も少なくありません。そんな会社で働く従業員は、自分が何のために働いているのかについて段々とわからなくなり、「このままでいいのか」「もっと別の生き方、働き方があるのではないか」という不安を抱いているかもしれません。

　転職のハードルが低くなりつつある今、自分によりフィットする職場を求めて、従業員が移り始めています。「皆さんいい人たちで、いい職場でした」とにこやかに辞めていきますが、去る人の本心はわからないものです。

もちろん、企業活動として業績を追い求めることは当然です。

　しかしながら同時に、従業員の働く環境を整えること、そしてやりがいを高めることにも、業績を上げることと同じレベルの熱量で取り組むことが大事だと思うのです。

　働きがいは見えにくい側面があり、概念的だと感じられるかもしれません。本書で詳らかにして一緒に考えていきましょう。

　本書は序章から始まり、5章の構成になっています。

　序章では、仕事をする場としての「職場」を根本から掘り下げていきましょう。次第に働きがいが大事な理由が見えてくることでしょう。働きがいと財務的成長の関係も明らかにしています。

　自分が働く職場を意図的に悪くしたいと思う人はいないと思います。しかしなぜ、やる気がなくなる職場になってしまうのでしょう。その背景には時代の移り変わりとともに、求められるものが変わったことも影響しています。1章でその背景を深堀します。

　2章では「働きがいを実際の組織に当てはめたとき、どのような考え方になるのか」ということについて、私たち Great Place To Work® が考える「全員型『働きがいのある会社』モデル」をもとにより深く考えていきましょう。「リーダーシップの在り方」や「会社固有の価値観（バリュー）の重要性」「イノベーションの土壌」、さらに「職場の軸に『信頼』が必要な理由」が見えてくるでしょう。

　そして2章の考え方のもと、3章では働きたくなる職場のつくり方を学んでいきます。より具体的に、かつ、応用が利くように自身とその職場を思い浮かべながらお読みください。

職場は、さまざまな人で構成されています。多様な人材とチームで働くためには、相互の理解がカギになります。性別や年齢など、それぞれの属性に応じて大事にする考え方や求める働き方は異なります。４章では属性ごとに求める働きがいの違いがわかり、相互理解を助ける内容になっています。

　働きがいに理解を深めても、職場は一朝一夕に変わるものではありません。経営者・管理職・従業員、そして人事担当者などが、それぞれの役割を果たし、職場を働きがいのあるものに変えていく努力が求められます。５章でそのヒントを得てほしいと思います。

　また、本書では、職場改革をしている企業の事例を多数紹介します。中には、低迷時期に一念発起して改革に乗り出し、業績がＶ字回復した事例や、従業員が連休の最終日に「（職場に行きたいため）早く明日にならないかな」とつぶやくほど、わくわくできる仕事、早く出社したくなる職場をつくり出した事例もあります。会社・職場と従業員が信頼関係で結び付いている様子を確認してください。

　さて、本書を読むその前に、改めて働きたくなる職場をつくる理由を考えていただきたいと思います。なぜなら、「職場を良くしよう」とそう思った瞬間から物事は変わり始めるからです。

　職場を快適で仕事がはかどる環境に変えていくこと。
　そして、さまざまなバックグラウンドを持つ多様な人々が、お互いに尊重し合いながら、時にぶつかり合いながら、最高の仕事ができる場所にしていくこと。

それは、従業員エンゲージメントが低いと言われる日本企業にとって、解決する価値のあるテーマだと考えています。

　なぜなら、働きがいが高まることで、従業員の生産性が高まり、新しいチャレンジが生まれ、顧客接点でのさまざまな試行錯誤が顧客価値を磨くことに繋がるからです。

　職場を"あなた"にとって、さらに"あの人"にとって働きがいのあるものに変えていくこと。それは今の日本にとってまさに必要なことだと思っています。

　私は、日本企業の職場を全ての人にとって「働きがいのある場」に変えていくことを通じて日本社会に貢献したいと考え、日々、この仕事にまい進しています。

「職場が変われば、仕事のパフォーマンスが変わる。
　仕事が変われば、世の中に少しずつ変化の兆しが現れる。
　世の中が変われば、職場も、そして人も変わる」

　これが、ネガティブな悪循環ではなく、正のスパイラルに昇華されることを願ってやみません。

　本書がその一助になれば幸いです。

2023 年 5 月
荒川陽子

はじめに　6

序章　成長し続ける職場にある「働きがい」

01／世界基準の「働きたくなる職場」......................24

÷そもそも、なぜ職場があるのか　24

職場の価値とは何か

÷「やる気がなくなる職場」では、何が起こっているのか　26

最高の職場「働きたくなる職場」とは？

÷世界約100ヶ国、10,000社の調査で導き出された
職場に不可欠な「働きがい」　28

世界基準のエンゲージメント調査

働きやすさ＋やりがい＝働きがい

衛生要因⇒働きやすさ、動機付け要因⇒やりがい

働きやすさとやりがいの関係

「やりがい」とは何か

事例1　私にとって「働きがい」とは「生きがい」と同じ
——株式会社グロービス　32

02／働きがいのある職場と財務的成長の関係........34

❖ 働きやすさとやりがいで見る「4つの職場像」　34

　日本の職場を4つに分ける

　働きがいと財務的成長

　4つの職場タイプと業績の関係

　「業績がよいから働きがいもある」は本当か

　なぜ働きがいと業績に関係があるのか

事例2　コロナ禍のウェディング事業、苦しい時こそ
　　　　従業員にコミット　——株式会社テイクアンドギヴ・ニーズ　40

❖ 経営・管理者と従業員の働きがい　42

　働きがいを求める権利と義務

事例3　不安を安心に変えた双方向コミュニケーション
　　　　　　　——株式会社CKサンエツ　44

序章のまとめ　46

1章 ▶ 働きやすさ＋やりがいで変わる4つの職場

03／昔は活躍した「ばりばり職場」から
　　　「しょんぼり職場」へ 48

❖ 時代の移り変わりで、職場はどう変わったか　48

　「モーレツ社員」が称賛されていた時代

　バブル崩壊で職場はどう変わったか

年功序列の時代にはあったもの

成果主義で綻ぶ「連帯感のある職場」

「行き過ぎた成果主義」がもたらした悲しい現実

| 事例4 | 組織横断型のゆるやかな交友関係づくり ―― 大和リース株式会社 | 55 |

✢ やりがいはあっても疲弊する「ばりばり職場」　56

やりがい搾取の過酷な現実

| 事例5 | 働きやすさを徹底的に高めて、従業員との信頼を育む ―― 株式会社ＣＫサンエツ | 57 |

✢ 特に、いま求められる「貢献実感」と「心理的安全性」　59

貢献実感とは？

心理的安全性とは？

他にもある「やる気がなくなるきっかけ」

| 事例6 | 貢献実感をバックオフィスで働く従業員へ ―― 株式会社バーテック | 62 |

✢ カリスマ性があるリーダーシップの是と非　63

新しい時代の新しいリーダー像

| 事例7 | 上意下達の会社から、従業員主体の会社へ ―― 内海産業株式会社 | 66 |

04／ぶら下がり社員が増える「ぬるま湯職場」……68

✢「ぬるま湯職場」には、どんな傾向があるか　68

「ぶら下がり社員」の問題

「優秀な人材」の流出

事例8　従業員に「事業戦略の自分ごと化」と、V字回復　72
　　　　── クリスピー・クリーム・ドーナツ・ジャパン株式会社

事例9　緊急時に奮起する「優秀な人材」確保のカギ　74
　　　　── 株式会社ＣＫサンエツ

✛ 働きやすさは高まっても、やりがいが低いままの理由　76
　　「やりがいは、やっかい」の見方を変えるD社の例
　　経営・管理者が、やりがいを低くしている場合

事例10　ワンマン経営が引き起こした従業員の「諦め」　79
　　　　── A社

事例11　社員が漏らした「早く明日にならないかな」。　80
　　　　社員ファースト経営の結果　── iYell株式会社

　　無意識にやりがいを低くしてしまう「上司」
　　「過去の例の押しつけ」をする人が欠けていること
　　部下の強みと会社の方針を統合するマネジメント

事例12　フィードバックで、高め合う組織を実現　84
　　　　── 株式会社コンカー

事例13　サプライズ転職がなくなる会社の対話　86
　　　　── スローガン株式会社

05／働きやすく、やりがいのある「いきいき職場」..87
　　✛ やる気に溢れる職場で起こること　87

コロナ禍でも「信頼」が落ちなかった理由

変化に柔軟な職場

| 事例14 | コロナ禍で始めた「ポッドキャスト番組」の狙い —— アメリカン・エキスプレス・インターナショナル, Inc. | 90 |

| 事例15 | コロナ禍の苦しい時期に何をしたか、していないか —— B社 | 92 |

1章のまとめ　94

2章　働きたくなる職場が持つ全員型「働きがいのある会社」モデル

06／働きがいのある職場の仕組み............................96

÷あなたの職場の「働きがい度」をチェック　96

あなたの職場を自己採点

能力が最大化される条件

÷全員型「働きがいのある会社」モデル　100

| 事例16 | 職場の信頼関係を見える化、数値改善を目指す —— 株式会社ディスコ | 102 |

07／「リーダーシップ」と「バリュー（価値観）」が見える職場.................104

÷会社のフェーズで異なる理想のリーダーシップ　104

４つの理想のリーダー像

❖**職場と従業員がすり合わせておくべき絶対条件　108**

なぜ会社にバリューが必要か

全ての人にとって働きがいのある会社は存在するのか

職場の価値観に無理に合わせた従業員に起こったこと

採用でここまでする、ある企業の例

事例17	採用から入社に至るまで、徹底的に会社の魅力を伝える ――― バリューマネジメント株式会社　112

同じような人が集まる職場にならないのか

08／アイデアが次々に生まれる
「イノベーション」の土壌......................**114**

❖**多様な人がいる職場だからこそ生まれるイノベーション　114**

多様な職場だからこそ生まれる「違和感」

事例18	成長イノベーションを生む“挑戦”を歓迎する文化 ――― 株式会社キュービック　116

２章のまとめ　118

3 章 ▶ 働きたくなる職場のつくり方

09／職場・個人の働きがいマインドセット...........**120**

❖**働きがいをつくるのは職場か、個人か　120**

かつての職場は働きがいが身近だった

働きがいを自力で見つけた人

✦ 自分の働きやすさとやりがいを見つけよう　122

外発的か、内発的か、自分の働く動機を確認

「自分らしさ」を見つめ直す2つの方法

10／職場でつくれる働きがい〈5つのポイント〉..126

✦ ポイント①　ミッション・ビジョン・バリューの浸透　126

ミッション・ビジョン・バリューとは？

| 事例19 | 紆余曲折を乗り越えて策定した経営理念 ——株式会社ミクセル | 128 |

MVVをどうやってつくり、浸透させるか

MVVの浸透、3つのフェーズ

会社の隅々まで浸透させる効果

✦ ポイント②　働きやすさ投資　134

経営・管理者と従業員のコミュニケーション構築

働きやすさ投資とリターンの見込み

働きやすさ投資はどの程度、どこにすべきか

働きやすい職場に求められる自律性

働き方を自由にした「リモートワーク」

「ワークライフバランスが向上した」と感じる人が約6割

リモートワークで低下するもの

リモートワークでやりがいが高くなった人は約4分の1

やりがいが高くなった人ほど、生産性も向上する傾向

リモートワークは職場ごとにルール設計を

事例20 一歩進んだワークスタイルを追求
—— 株式会社グロービス　144

❖ポイント③　インクルージョンの担保　146
　職場メンバーを深く知るには「コンテクスト」がカギ

❖ポイント④　やりがいに火を付ける　148
　約7割の日本企業が導入している「1on1」
　1on1を効果的にするマインドセット
　1on1が上手くいく言葉がけ
　やりがいに火を付ける逸話

❖ポイント⑤　職場カルチャーの明確化　154
　働きがいと職場カルチャーの関係
　職場カルチャーはどうやってできるのか
　職場カルチャーと採用のミスマッチ
　ベストカンパニーの離職率は必ずしも低くない
　ミッションとカルチャーに合わない時

3章のまとめ　160

4章 ▶ 多様性が活きる職場

11／なぜ、多様性のある職場が求められるのか …164

✢ 多様な価値観のある職場の課題　164

　「見た印象」と「本人の望む働き方」は、同じとは限らない？

　D&I促進による3つのメリット

　D&Iは深層面にも配慮が必要

事例21	「優れた実力主義に、年齢・性別・学歴は関係ない」と言える理由 —— モルガン・スタンレー	170

12／ジェンダー平等の働きたくなる職場 172

✢ 数字と事例で見る女性の働きにくさ　172

　ジェンダー平等に立ちはだかる「見えない壁」

　ライフイベントと共に働き続ける選択肢を
　多様に持てる職場に

　出産・子育ての中でも「働きたくなる職場」

　「ジェンダー平等で働きたくなる職場」5つのポイント

事例22	早期抜擢の機会があることでジェンダー平等を実現する —— レバレジーズグループ	178

13／シニアの働きたくなる職場 180

✢ シニア層の学び合う職場　180

　シニアの働きがいのある職場

　シニアと若手の学び合う職場にするマインドセット

✢ シニアと若手が「学び合う職場」をつくった例　184

　息子娘世代と働くグループに再編成されて……

　他の職場にも波及した「学び合い」

　「ポストオフ」とは、別の道への指し示し

| 事例23 | シニアは、企業理念への共感と実践を体現し続けた存在 —— 株式会社ディスコ | 188 |

14／若手の働きたくなる職場 190

÷「転職のハードルが低い」
「自分らしい働き方を求める」若手　190

転職のハードルが低い現代の仕事観

| 事例24 | 「若手が会社の理念を考える」施策の狙い —— 株式会社現場サポート | 192 |

やりたい仕事と強みのミスマッチ

| 事例25 | 「したいこと」「できること」を組み合わせて、「すべきこと」をつくる、能力を高める仕組み —— 株式会社キュービック | 196 |

4章のまとめ　198

5章 ▶ 働きたくなる職場に変える "私"の役割

15／始めはひとりでも、職場を変えられる 200

÷損なわれている「働きがい」、どう伝えるか　200

人的資本経営が進展すると進化する「あるもの」

人的資本経営と働きがいを高める施策の関係

働きがいを高める施策の数と売上の伸び率

÷職場改革の4つの大きな流れと3原則　204

✢ ①　職場の調査・分析　206

　問題をデータで見るべき理由

　働きがい調査・分析のポイント

　調査で押さえておきたい３つのこと

✢ ②　改革案の選定　209

✢ ③　職場改革のストーリーを伝える　210

✢ ④　それぞれの役割を全うする　211

　経営者

　管理職

　従業員（部下）

　人事担当者

✢ 職場改革は、従業員ひとりからでも始められる　214

　独力の限界を知る

　同志を募り、働きがい改革のムーブメントを起こす

✢ 「職場を変えたくない人」をどうやって巻き込むか　216

　職場改革の火を妨げる存在

　職場改革は、それでも全員で取り組む

16／経営者は、職場をどうやって変えるか..........218

✢ 経営者が「働きたくなる職場」に改革する方法　218

　経営者の仕事は「任せること」

　「権限委譲」とセットで行うこと

　働きがい改革で失敗しがちなこと

事例26　働きがいのある職場への進化に導いた、求心力と遠心力　222
　　　　　　　　　　　　　　　── スローガン株式会社

17／人事は、職場をどうやって変えるか................224

　❖人事の「働きたくなる職場」づくり戦略　224
　　働きがいのある職場の採用基準

事例27　「夢見るいいやつ採用」が、スローガン　226
　　　　　　　　　　　　　　　── 株式会社あつまる

　❖就活・転職と採用から始まる「働きたくなる職場」　228
　　紙とペンを持って、自分らしさを表してみよう

　❖会社が大きくなると、働きがいを高める難易度が上がる　230
　　規模拡大時における管理職の強化と人事制度の構築

　5章のまとめ　234

おわりに　236
索引　238

カバーデザイン　　　トサカデザイン（戸倉 巌、小酒保子）
本文デザイン・DTP　アスラン編集スタジオ（佐藤 純）
イラスト　　　　　　Ampersand Inc.（長尾和美）
図版　　　　　　　　リクリ・デザインワークス
編集協力　　　　　　山守麻衣
制作協力　　　　　　明石美瑛、高橋百葉（GPTW Japan）

掲載図表

[図表0-1] マズローの欲求5段階説　31
[図表0-2] 働きがいで見る4つの職場　34
[図表0-3] ランキング選出企業とランクインしなかった企業の
　　　　　2016年度と17年度の売上高の対前年伸び率　36
[図表0-4] 4つの職場タイプごとの2016年度と
　　　　　17年度の売上の対前年伸び率　37
[図表0-5] 日本のベスト100企業（2022年）・認定企業と
　　　　　TOPIX・日経平均との比較　38

[図表1-1] 2018年から19年の「働きやすさ」の変化　69
[図表1-2] 2018年から19年の「やりがい」の変化　69
[図表1-3] リモートワークにおけるコミュニケーションの実態　88

[図表2-1] 職場の自己採点記入グラフ　98
[図表2-2] 全員型「働きがいのある会社」モデル　100
[図表2-3] 組織の成長ステージ・メンバーの能力と4つのリーダー像　105

[図表3-1] ミッション・ビジョン・バリューの組織浸透プロセス　131
[図表3-2] 働きがい認定企業・不認定企業別、従業員自律度　133
[図表3-3] 従業員の自律度を高めることに繋がっている施策　133
[図表3-4] 初めてリモートワークを経験して感じた仕事上の変化　139
[図表3-5] リモートワークによる業務の生産性の変化　140
[図表3-6] リモートワーク経験後のモチベーション・やりがいの変化　141
[図表3-7] モチベーション・やりがいと生産性の比較　142
[図表3-8] 1on1の導入状況　149

[図表4-1] 2006〜14年同月の平均株価の終値（USD）　167
[図表4-2] 65歳以上の就業者の推移（2010〜20年）　181
[図表4-3] 定年後も現在の勤務先で働きたいか　181
[図表4-4] シニア層の採用についてどの程度積極的か　181
[図表4-5] シニアランキング ランクイン企業と不認定企業における
　　　　　シニアのスコア平均の差が大きい設問　182
[図表4-6] 若い世代の仕事に対する意識調査　191

[図表5-1] GDPに占める企業の能力開発費の割合　201
[図表5-2] 施策数別売上の伸び率　203

序章

成長し続ける職場にある「働きがい」

01 世界基準の「働きたくなる職場」

02 働きがいのある職場と財務的成長の関係

01／世界基準の「働きたくなる職場」

そもそも、なぜ職場があるのか

　序章では「仕事とは何か」「職場とはそもそも何か」「働きがいとは何か」、そして「職場の4つの種類」を考えていきましょう。

　「なぜ仕事をするのか」と聞かれた時、「生活に必要なお金を稼ぐため」と答える人がいるかもしれません。私たちは仕事をして、その対価をもらい、生計を立てています。しかしながら、仕事は生活のためだけにあるのでしょうか。

　1日24時間のうち、活動している時間は16〜18時間、働く時間は8時間とします。通勤や食事・休憩の時間を除いて**活動しているおおよそ半分の時間が仕事をしている時間**と言えるでしょう。

●職場の価値とは何か

　では、"仕事"とは何でしょうか。私がたどり着いた答えは次のようなものです。**「仕事とは、世の中の人の役に立つことで、ありたい自分になれる活動のこと」**。この自己実現こそ、仕事の本質であると考えます。

　さらに世の中の人の役に立つためには、ひとりでできることは限られているものです。**同じような志や技術を持った仲間とチームを組んだり、会社をつくったりして活動をするほうが、世の中に貢献できる度合いが高まります。だから人は"職場"を創造するのではないでしょうか。ここでいう"職場"とは、物理的にオフィスなど

で直接顔を合わせる場としての職場のみならず、共に仕事をする人たちの集合体という意味で使っています。

　職場には、さまざまな階層や特性の人がいて、それぞれの役割を果たして協力し、仕事を行うことで成り立っています。取締役などの「経営者」（会社のトップと捉えてください）、部課長などの「管理職」、そして「従業員」です。さらに性別、年齢などの多様な特性がある人たちで成り立っています。

　また、職場の価値とは「仕事上の仲間がいることで自分らしくあることができる」「仕事について仲間と話すことで、アウトプットを最大化させることができる」「自分自身の成長を促していくことができる」——。**仕事を通して社会と繋がれて、その人自身が成長できる、職場はそんな場所**と言えます。本来、職場は「働きたい」「仕事に行くことが楽しい」という気持ちが湧いてくる場所だと考えています。ところが「働きたくない」「職場にいるだけで辛い」という感情が起こるのであれば、その職場・仕事は自分にとって何かがおかしいということになるはずです。

　なぜ、こんなことが起こるのか。順を追って考えていきましょう。

「やる気がなくなる職場」では、何が起こっているのか

　多くの企業では、経営・管理者から指示があり、従業員は指示にそって業務を遂行するというスタイルが基本です。

　しかしながら、上の層がどのようなマネジメントをしているか、職場によって千差万別です。たとえば「経営者のひと言で全てが決まっていくような職場」もあれば、「管理職に大きな裁量権を与えられ、リーダーシップを発揮していくような職場」もあります。

　経営・管理者が従業員に「ビジョンを提示していない」「人材育成がおざなり」にもかかわらず、やみくもに業績アップを迫るという職場は珍しくありません。この状態では従業員と経営・管理者との「信用」「連帯感」や仕事に対する「誇り」は生まれないでしょう。従業員は次第にネガティブな感情が湧いてくることになります。

　このような職場は、モチベーションが低下する**「やる気がなくな**

苦手な業務を
自分ばかり
押し付けられている

この職場にいて、
成長できるのだろうか

頑張っているのに、
私だけ評価
されない

今の人間関係で、
今後上手く
やっていける
自信がない

仕事に相応の
報酬を得ていない

る職場」と言えるでしょう。従業員の能力は発揮されず、取引先や顧客などの職場以外の人たちに対しても好印象を与えられるとは考えにくいものです。業績面でも成果を上げることは期待できません。

❯ 最高の職場「働きたくなる職場」とは？

では、反対に **「働きたくなる職場」** を考えてみましょう。

職場環境や人材への投資を惜しまない「経営者」
個人と向き合う姿勢を持った「管理職」
活発に意見を出し合い、チャレンジを生み出す「企業風土」

このような職場で働く従業員は、モチベーションが高く、成長の機会に恵まれ、ゆくゆくは会社の業績アップや発展に繋がるでしょう。そうなるうちに信頼が生まれ「自身の自己実現」と「会社の成長」が交わり、職場と従業員の双方に好循環が生まれます。

これら2つの職場の違いをもたらすものは何でしょうか。根本にあるのは **「働きがい」** であると私たち Great Place To Work® （以降、GPTW）は考えています。

世界約100ヶ国、10,000社の調査で導き出された 職場に不可欠な「働きがい」

　やる気がなくなる職場と働きたくなる職場、違いを紐解くには、**「従業員エンゲージメント」** レベルを調べる必要があります。エンゲージメントとは、**「会社と従業員の間の信頼関係」** と言い換えられます。なお、働きがいとエンゲージメントは、ここではほぼ同義と捉えて構いません。エンゲージメントレベルが高いと、従業員のモチベーションや生産性の向上に好影響を与え、企業の人材定着率も上がるため、世界的に注目を集めています。

　私たち GPTW は、その見えにくい部分である企業のエンゲージメントレベルを調査し、そのレベルが一定水準を満たした企業を認定しているのです。具体的には、会社・職場と従業員の関係や状態を調査・分析し、会社にフィードバックしている機関です。本部はアメリカで、Great Place To Work® Institute Japan（以降、GPTW Japan）は日本においてその活動を行っています。私は、日本の職場を「働きがい」で溢れる場にするべく代表を務めています。

◉世界基準のエンゲージメント調査

　調査はアンケート形式で行います。調査項目、評価基準はグローバルで統一されています。**調査には毎年約 100 ヶ国で 10,000 社、330 万人を超える従業員が回答しており、世界最大規模の従業員意識調査**（エンゲージメントサーベイ）になっています。日本では年間導入社数が 634 社（2023 年度版調査時点）です。また、エンゲージメントレベルが高い水準の会社は「働きがいのある会社」として認定し、さらにその中から特に働きがいが高い企業をランキング形式でメディアに発表します。アメリカでは『FORTUNE』誌を通じて毎年

「働きがいのある会社」ランキング（Best Workplaces™）を発表。これに掲載されることが一流企業の証とされています。GPTW Japanでは、ランキングを毎年2月に発表しています。世界中の企業を調査・分析している私たちGPTWがなぜ、働きがいを大事にしているのでしょう。働きがいとは何かから解説していきます。

❯ 働きやすさ＋やりがい＝働きがい

　働きがいとは何か。結論から言うと**働きがいとは、職場に「働きやすさ」という大前提がある上で、「やりがい」を感じている状態**を指します。働きやすさ、やりがいをそれぞれ見ていきましょう。

「働きやすさ」とは、社内の環境や福利厚生も含めた制度など、会社側がある程度、整えるべきものと言えます。「見えやすい要素」ですが、時代によって変わります。たとえば「長時間労働は是正するべき」「有給休暇は取得すべき」という働き方改革の流れで、劣悪な労働環境の職場は淘汰（とうた）されつつあります。また、コロナ禍になり「リモートワーク環境が整っているか否か」が、働きやすさのひとつの判断基準になりつつあります。

「やりがい」とは、会社や社会への貢献実感や自己実現の度合いといった働く動機にかかわります。「なぜ、その仕事をしているか」の答えが人それぞれであるように、一人一人の価値観によるところが大きいもので、見えにくい要素です。

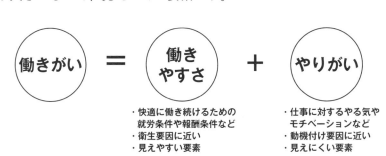

働きがい ＝ 働きやすさ ＋ やりがい

・快適に働き続けるための就労条件や報酬条件など
・衛生要因に近い
・見えやすい要素

・仕事に対するやる気やモチベーションなど
・動機付け要因に近い
・見えにくい要素

◗ 衛生要因⇒働きやすさ、動機付け要因⇒やりがい

　働きやすさとやりがいについて、学術的な観点でも解説しましょう。アメリカの臨床心理学者フレデリック・ハーズバーグは「二要因理論」で、仕事に対する不満をもたらす要因を「衛生要因」、満足をもたらす要因を「動機付け要因」と名付けています。

> **衛生要因**……会社の方針、労働環境、労働時間、報酬など。本人の努力では、なかなか変えにくい要素。整っていないと不満に繋がるもの。
> **動機付け要因**……仕事がもたらす達成感、自分の成長、責任ある仕事を任されることや挑戦の機会など。本人の心理的要素による影響を大きく受ける。あればあるほど、やる気やモチベーションに繋がるもの。

　仕事のモチベーションは、この2つの要因が絡まり合って決定するというのがハーズバーグの見解です。この衛生要因が働きやすさ、動機付け要因がやりがいに近い考え方です。

◗ 働きやすさとやりがいの関係

　働きやすさは「オフィスが快適である」「報酬に納得できる」「ワークライフバランスが取れる」など、一定レベル従業員が不快にならないラインが目安になるでしょう。ある程度のお金はかかりますが、職場に働きやすさをもたらす「働きやすさ投資」をしておくと従業員は健全に働くことができます。また、生産性を向上させるための活動にドライブがかかる"ベース"が整います。

　働きやすさが一定レベルに至っていないにもかかわらず、やりがいだけが高いと、従業員が疲弊する「やりがい搾取」になり兼ねま

せん。働きやすさが整っていないと不満に繋がるからです。衛生要因である働きやすさをまずは満たすことを重視しましょう。その上で、やりがいを高めることは「もっと満足感を得たい」という動機になり、やる気が向上していきます。

❷「やりがい」とは何か

やりがいを**「マズローの欲求5段階説」**（図表 0-1）に照らして考えてみましょう。人間の欲求は「生理的欲求」「安全の欲求」「社会的欲求」「承認欲求」「自己実現欲求」の階層に分けられます。欲求は満たされると上の階層に移ります。たとえば「就職当初は職場を待遇面で選んでいたけど、仕事の幅が広がり、任せられる裁量が大きくなるにつれて、多くの同僚に認められたくなった」となるかもしれません。次第に「取引先に貢献したい」「マーケットに影響を与えたい」という方向に欲求が変化し、最終的には「この分野での第一人者になりたい」という欲求（自己実現欲求）として結実する人もいるでしょう。もちろんやりがいは人それぞれですから、自分自身の欲求は何かを探求していくことが重要です。

次ページには、創業時から働きがいを重視している企業の事例を紹介します。

[図表0-1] マズローの欲求5段階説

自己実現欲求	誰も成し遂げなかったことをやり遂げたい
承認欲求	会社や同僚から認められたい
社会的欲求	同僚や仲間のいる職場に所属したい
安全の欲求	お金を得たい
生理的欲求	

下から上に向かって満たしていく

事例1　私にとって「働きがい」とは「生きがい」と同じ

株式会社グロービス（中規模部門／教育、学習支援業）

　グロービスは「働きがい＝生きがい」というポリシーの創業者が興した会社です。国内最大級のビジネススクール（MBA）「グロービス経営大学院」等を展開する同社は、「働きがいのある会社」ランキング中規模部門にて、2023年版まで10年連続で選出されています。この快挙は、グロービス経営大学院学長兼グロービス・キャピタル・パートナーズ代表パートナーの堀義人氏のポリシーが反映された結果でしょう。

　堀氏は「働きがい」を「生きがい」と同義と捉えています。マズローの欲求5段階説にもあるように、生きがいを感じられるのは自己実現ができている時というのがその理由です。そして、次のように述べています。

　「グロービスは、働く人たちにその自己実現の場を提供しています。『人間として成長すること』『社会に貢献すること』など、自己実現のテーマは各自違うことでしょう。それでも、グロービスウェイ（経営理念や事業指針、行動指針など会社としての存在意義や大切にしている価値観をまとめた基本理念・指針）に共感した人たちが集まることで、ひとりではできないことが実現できるようになります。グロービスは教育によって日本全体に貢献する会社であり、また、教育を通じて自分たちも気付きを得られるアジアナンバーワンのビジネススクールです。自己実現ができる場があるから各自が成長しますし、人間的にも、金銭的にも豊かになり、教育を通じて社会に貢献していることも感じられます」

　また、堀氏は「自分が本当に働きたいと思う会社をつくる」と決めて起業しており、「服装自由」「労働時間ではなくアウトプットでの評価」「給料は自己申告制」など、「これなら働きたい」と自身が思える要素を盛り込んできたのです。

　「100人に対して100人の働き方を認めてしまうとそれは非効率ですが、現在もできるだけ社員の要望に合わせて柔軟に人事設計をしています。『ダイバーシティ・ウェイ』というものも別途定めて、異能・異質を受け入れる柔軟な会社を目指しており、女性の幹部社員も多いです。誰もが能力を発揮できる環境だと自負しています」

　「働きやすさとやりがいは別もの」というのが、堀氏の持論です。堀氏は「働きやすさを整えることがイコールで働きがいがあるではない」という主旨のことを言っています。それは私たちGPTWの考えとも軌を一にします。

　「働きやすさとは、人事制度などあくまで環境面での話です。同社ではそれ以上にビジョンやミッションへの共感や、理想のキャリアの実現を重視しています。優秀な人を採用したい場合は、職場の働きやすさよりも働きがいがさらに問われる」

　そもそもグローバルな視点で見ると、優秀な人材に高額なオファーが来るのは当たり前の話です。優秀な人材にとってステップアップのための頻回の転職は海外では常識であり、日本でもその傾向が顕著になりつつあります。だからこそ、経営者や管理職は待遇をよくするだけではなく、共感、共鳴される環境をつくる必要があるわけです。堀氏いわく「優秀な人材が職場を選ぶ際の指標は『今日よりも明日成長していることを想像できるか否か』」。同社の働きがいの高さの理由が、このひと言に集約されています。

02 / 働きがいのある職場と 財務的成長の関係

働きやすさとやりがいで見る「4つの職場像」

　働きがいでよく誤解されやすいのが「働きがい＝やりがい」と同一視されがちで働きやすさが抜けていることです。それが間違いであると断定するつもりはありません。しかし、さまざまな職場を調査し、全国の顧客の皆さんと向き合ってきて思うのは、**働きがいは働きやすさとやりがいの両輪の関係にあり、そのどちらか一方が損なわれては成立しない**ということです。

　働きがいという視点で見た時、どんな職場があるのか。縦軸が働きやすさ、横軸がやりがいの4象限マトリクスでご説明します（図表0-2）。

[図表0-2] 働きがいで見る4つの職場

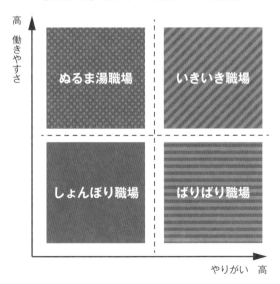

❷日本の職場を４つに分ける

　４つの職場を簡単に説明するのに合わせて、従業員にとってどんな職場であるかを紹介します。

働きやすさとやりがい、両方高い職場は、理想的な「いきいき職場」。従業員はやる気に溢れ、会社も成長する「働きたくなる職場」になりやすい

働きやすさは乏しいけれども、やりがいがあるのが「ばりばり職場」。従業員にやる気はあるが無理のある働き方になるため、会社の持続可能性が高くなく、「やりがい搾取職場」になりやすい

働きやすさはあっても、やりがいに欠けるのが「ぬるま湯職場」。従業員は、会社の成長や自己実現に関心が薄いが、働きやすいため、居続けてしまうリスクがある。文字通りの「ぬるま湯職場」になりやすい

働きやすさもやりがいも、両方不足しているのが「しょんぼり職場」。従業員は疲弊し、モチベーションも湧かない「やる気がなくなる職場」になりやすい

　現在の日本企業に最も多く見られるタイプはぬるま湯職場だと考えています。ただし現在がどの象限の職場であっても、世の中が変われば職場も変わる可能性があります。１章では歴史背景をもとに、この４象限を詳しく見ていきましょう。次のページでは、働きがいと企業の財務的成長の関係についてお話します。

序章
成長し続ける職場にある「働きがい」

❷ 働きがいと財務的成長

次のような意見をよくいただきます。

「働きがいを高くするのは大事かもしれない。けれど、そもそも稼げないと企業は成り立たない」。

この意見に対して「**働きがいと業績は、相関関係がある**」ことを説明しています。

図表 0-3 は GPTW Japan の「働きがいのある会社」ランキングに参加された企業のうち、ランキング選出企業とランクインしなかった企業における、2016 年度と 17 年度の売上高の分析です。コロナ禍など、社会的な変化による事業への影響が少ないと思われる年度のデータを使用しました。

ランキング選出企業が 33.9%、ランクインしなかった企業が 12.0% で、売上の対前年伸び率が 21.9 ポイント高い結果となり、かつ、統計的に有意な差があることが確認できました。

[図表0-3] ランキング選出企業とランクインしなかった企業の
2016年度と17年度の売上高の対前年伸び率

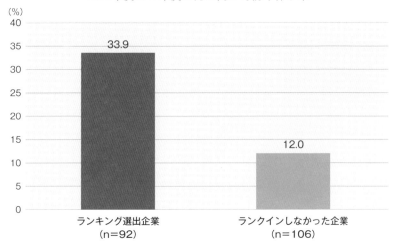

❯4つの職場タイプと業績の関係

前述の4つの職場タイプで業績の違いはあるでしょうか。

分析の結果、2016年度と17年度の売上の対前年伸び率は、「いきいき職場」（働きやすく、やりがいもある）が最も高い値43.6%を示しました。次いで、「ばりばり職場」（働きやすさはないが、やりがいがある）において高い値（22.0%）を示しました（図表0-4）。

一方で、低くなったのは、「しょんぼり職場」（働きやすくもなく、やりがいもない）が6.5%、「ぬるま湯職場」（働きやすいが、やりがいがない）が6.0%で、同水準となりました。

特に小規模部門の企業（従業員25〜99人）ほど、この傾向は顕著に見られました（「いきいき職場」60.8%に対して「しょんぼり職場」11.5%）。

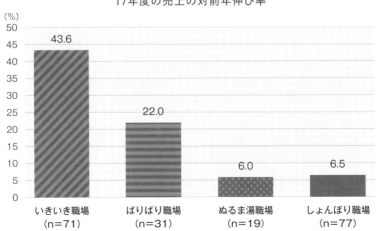

[図表0-4] 4つの職場タイプごとの2016年度と
17年度の売上の対前年伸び率

❷「業績がよいから働きがいもある」は本当か

　次のような意見もよくいただきます。
「もともと業績がいいから、働きがいも高まるのではないか」。
　確かにそのように影響するケースもあるでしょう。そこで、単年度での比較ではなく、時系列のあるデータをご紹介します。

　図表0-5 は、2022 年版「働きがいのある会社」ランキングベスト 100 選出企業および認定企業のポートフォリオへ、17 年 3 月末に等金額を株式投資したとした場合の 5 年後（22 年 3 月末）の投資リターンをシミュレーションしたものです。

　ベスト 100 企業のポートフォリオのリターンは 153.1%（年率換算前）、認定企業のポートフォリオのリターンは 130.4%（同）でした。同時期の TOPIX と日経平均のリターンはそれぞれ 28.7％と 47.1％（同）です。働きがいと業績の明確な因果関係を示せるものではありませんが、働きがいの高い企業は中長期で業績を上げ続けることがわかります。

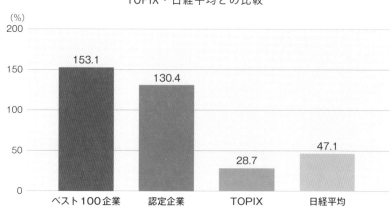

［図表0-5］日本のベスト100企業（2022年）・認定企業と
TOPIX・日経平均との比較

❯なぜ働きがいと業績に関係があるのか

　調査結果から働きがいと業績の相関関係を示しました。会社・職場が、働きがいを高める努力を重ねることによって、非財務的成長が起こります。その非財務的成長と財務的成長には関連性が高いということは、注目に値する結果ではないでしょうか。ただし、因果関係が証明されたものではないため、注意が必要です。

「非財務的成長」とは、財務諸表などに表現されるお金や数字等で可視化はできない成長のことです。リーダーシップやダイバーシティ、企業文化などが成熟し、生産性やイノベーション、人材の成長など、会社の総合力が強化される状態を指します。結果として、財務的成長に好影響を与えます。

　総括しましょう。
　なぜ、働きがいと業績に相関があるのでしょうか。まず、働きがいのある職場は、マネジメントとメンバーの間に信頼関係があり、チャレンジングで前向きな気概が生まれやすくなります。そのような企業風土であると、数々のイノベーション（ここでは、革新的なアイデアだけでなく、既存の業務改善も含みます）を生み出します。その結果、顧客に提供する価値が磨かれ、財務的成長に繋がるということでしょう。

　次のページでは、苦しいコロナ禍に「働きがい」を高めることで、黒字化を成し遂げた会社の事例をご紹介します。

コロナ禍のウェディング事業、苦しい時こそ従業員にコミット

株式会社テイクアンドギヴ・ニーズ（大規模部門／サービス業［他に分類されないもの］）

　新型コロナウイルスの感染拡大は多くの企業の業績に大きな影響を与えました。そのような環境下でも、働きがいを高めることで成長を成し遂げた、テイクアンドギヴ・ニーズ（以降、T&G）の事例を紹介します。2023年版「働きがいのある会社」ランキングベスト100に選出された同社。ウェディング事業大手であり、ホスピタリティ業界の旗手とも言える優良企業のひとつです。近年コロナ禍で大打撃を受けながらも、高い働きがいを維持しています。その理由は「苦しい時こそ社員にコミットする」という代表取締役社長、岩瀬賢治氏の理念にありました。

　ウェディング業界は、緊急事態宣言下で休業要請の対象ではありませんでしたが、同社はお客様や従業員の安全を守るために2020年4月の宣言発出時に、全国の式場で結婚式の施行を中止しています。また、「この時期、最も苦しいのは従業員だろう」と考え、離れていても会社と従業員がダイレクトなコミュニケーションが取れるようにビジネスチャットツールを導入するなど、環境を整備されました。マスク不足など次々と湧き起こる問題や不安を会社が吸い上げ、対応したのです。

　さらに、経営判断を伝える上でも、チャットツールは有用でした。岩瀬社長はコロナ禍でも「社員の給与賞与は満額支払う」と全従業員に約束したのです。その思いを岩瀬社長はこう述べます。

　「賞与カットは多くの企業がしているし、払わない理由はいくらでも考えられます。ただ、T&Gにとってどうなのか。外部環境の影

響をみんなに負わせていいのかと考え、払うと決めました」

　岩瀬社長は決定に至るまでの心の内も伝えました。従業員の賛同を得られ、経営への信用・信頼に繋がったのでしょう。従業員からは「この会社に骨を埋めます」などのコメントが届いたといいます。

　さらに同年12月、同社は人事制度を改定しています。そのひとつに若年層の給与を年収ベースで約50万円上げたのです。

　「弊社は若手が主体の業務も多いですし、勤務年数の長短にかかわらずお客様に信頼されなくてはなりません。そこで若手の士気を高めて会社を活性化するために決断しました。働き方の選択肢も広がっています。かつては全国転勤が前提でしたが地域限定職も設定しました。総合職に加えて、ウェディングプランナーなど特定の職種に特化してキャリア構築ができる専門職の制度も設けています」

　その後、業績が回復に向かい始めます。2021年3月期の決算は営業利益が赤字でしたが、翌22年3月期は約21億円の黒字に転向。テクノロジーを活用し、従業員の労働負荷を減らしたり「働きがいのある職場づくり」を推進したりしたことも影響したと岩瀬社長は見ています。また、自発的に「世の中に役立つことをしよう」「人が喜ぶことをしよう」とアクションを起こす従業員も現れました。たとえば緊急事態宣言で結婚式の施行を中止していた時期のこと。「賞味期限が切れる前の食材やドリンクをきちんと衛生に配慮した上で、近隣の幼稚園や保育園に提供して喜んでもらおう」と主体的に考え、行動した従業員がいたそうです。

　自分ができることを考えて、貢献領域を広げた好事例です。「あそびごころとやさしさで、人の心を人生を豊かにする」という同社の理念が従業員に浸透していたからこそ、有事の際にも高邁な精神で、周囲に献身できたのかもしれません。

経営・管理者と従業員の働きがい

　さて、働きがいのある職場づくりを経営・管理者にお話をすると、次のようなご意見をいただくこともあります。

「『会社が、従業員に働きがいを与える』という考え方があまい。働きがいを感じるかどうかは、従業員自身の問題ではないか」。

　この考え方には一部賛同です。最終的に働きがいを見出すかどうかは従業員個人の問題という側面もあるからです。

　しかし、よく耕された"土壌"がなければ"芽"は生えようがありません。仕事の意味や価値を感じられるような職場環境（土壌）を経営・管理者が用意することで、従業員は働きがいを見つけること（芽）ができるものです。

　経営・管理者は従業員にとってどんな職場が最適・理想的か、思いをめぐらせてほしいのです。そこから働きがいは向上していきます。職場という土壌を耕すことが経営・管理者の使命です。

●働きがいを求める権利と義務

　一方、従業員の皆さんにもメッセージがあります。

「全ての人は働きがいを求める権利がある」ということです。貪欲に働きがいを求めて、そして自らの力で獲得してほしいのです。

　たとえば、次のような要望をもっと発信するべきです。

「仕事のパフォーマンスを最大化するために、働き方の柔軟性を高めてほしい」

「最前線で活躍する人たちと仕事をして、専門性をより高めたい」

「オフィスは職場の仲間との繋がりを強める場として、カフェスペースなど雑談できる場所をつくってほしい」

　確かに、全てを聞き入れてもらえることは少ないかもしれません。しかし、健全な経営・管理者であれば、主体的・積極的に働きたいという意思表示を頭ごなしに否定したり、軽視したりはしないものです。

　経営・管理者にとっては、従業員の要望をつかむことで職場環境を変える手立てになるからです。まずは声を上げなければ始まりません。声を上げる権利を行使して働きがいを求めることです。

　もちろん権利ばかりを主張してはいけません。
　たとえば、「根拠もなく賃上げを要求する」といったことは、自分だけに都合のいい主張になり兼ねません。**やりたい仕事や働き方の希望を表明するからには、同時にやるべきことをしっかり行い、期待される役割をこなすという "義務" を果たす必要があります。**自分の働きがいは自分で守る（つくる）という意識で、働き方を確立させてみてください。

　経営・管理者が「職場が『働きたくなる職場』になる方法を探ること」と、従業員が「自身の働きがいを高めるための要望を発信しつつ自分のすべきことを懸命に追求すること」、この双方向のエネルギーが発動する職場が増えることで、働きがいのある職場がつくられると考えています。次章から具体的に見ていきましょう。

　その前に次ページではコロナ禍で不安が高まる中で行われた経営・管理者と従業員のコミュニケーションの事例を紹介します。

不安を安心に変えた
双方向コミュニケーション

株式会社CKサンエツ（中規模部門／製造業）

　日本最大の黄銅棒メーカーのサンエツ金属株式会社と、地球環境に配慮した配管機器と溶融亜鉛鍍金の加工メーカー、シーケー金属株式会社を核とするCKサンエツ。「働きがいのある会社」ランキング（中規模部門）には2017年から連続でランクインしました。17年は41位でしたが、翌18年は5位に躍進し、22年は2位、最新の23年版では3位に選出されています。

　同社は「自分が思ったことを上司やリーダーに言えるツール」を最大限に活用している企業のひとつ。従業員が自由に投書できるよう、職場のあちこちに投書箱を設置しています。投書箱経由で質問された「迷ったこと」「わからないこと」については、公開質問状のようなスタイルで、会社側の回答が掲示されました。たとえば「感染者が出た時の緊急の対応策はどうするか?」という質問については、「社内で一斉にメール送信する」などの原則が経営・管理者によって迅速に決定され、職場に浸透していきました。トップダウン型ではない、この双方向のコミュニケーションが非常に優れています。

　経営・管理者が特に心を砕いたのは、コロナ禍においても工場勤務の従業員のモチベーションを下げないという点です。投書箱があると、全職種の従業員の心の動きまで手に取るように把握することができます。
「工場は稼働し続けるのか?」
「これから工場勤務の自分はどうなるのか?」

　そんな不安や心配が、投書箱経由で伝わってきたといいます。代表取締役社長の釣谷宏行氏は、工場勤務者のモチベーションを損ねる要因について想定しました。最も避けたいのはコロナ禍で一時的に仕事の需要がなくなることで「自分はいらなくなったのではないか」と誤解されることです。

　そこで釣谷社長は「在宅勤務ができない工場勤務の従業員に在宅休養をしてもらう」と決断を下します。「給与や賞与、その他の待遇も全て、通常通りに支給する」という状態で、休んでもらったのです。無論、従業員本人は損することはありません。その上、本人の"職業人"としてのプライドまで守ることができます。

　また、釣谷社長は「報酬は与えているのだから」と本業と異なる雑用をあてがうこともしませんでした。従業員のプロとしての尊厳や矜持を守るためです。

　このように、従業員を職業人としてひとりの人間として尊重する素晴らしい経営者も存在します。日頃から従業員の声に耳を傾け続けるシステムを構築しているからこそ、細やかな心配りのある、人間味に富んだ英断も下せるのでしょう。もちろん、全ての会社がこのような施策を即実践するのは難しいかもしれません。

　しかし、この事例には多くの学びがあります。まずは従業員の声が気軽に、自由に、忖度なく経営・管理者に届く仕組みをつくり、誰もが活用できる状態をつくり上げることです。具体的には、チャットツールや、Webアンケートをとるシステムなどの導入もよいでしょう。自社に合った仕組みを取り入れ、従業員の声を吸い上げる仕組みをつくってほしいと願っています。

序 章のまとめ

1 やる気がなくなる職場と働きたくなる職場の違いの根本には「働きがい」がある

2 働きがい＝働きやすさ＋やりがい

3 働きやすさは、快適に働き続けるための就労条件や報酬条件など。衛生要因に近い。見えやすい要素

4 やりがいは、仕事に対するやる気やモチベーションなど。動機付け要因に近い。見えにくい要素

5 働きやすさとやりがいから、職場は4つに分けられる
「いきいき職場」「ばりばり職場」
「ぬるま湯職場」「しょんぼり職場」

6 働きがいと財務的成長には相関関係がある

1章

**働きやすさ＋やりがいで
変わる4つの職場**

03 昔は活躍した「ばりばり職場」から「しょんぼり職場」へ
04 ぶら下がり社員が増える「ぬるま湯職場」
05 働きやすく、やりがいのある「いきいき職場」

03 / 昔は活躍した「ばりばり職場」から「しょんぼり職場」へ

時代の移り変わりで、職場はどう変わったか

　本章では、働きやすさとやりがいの度合いで異なる職場を考えていきましょう。歴史背景や現代に求められている職場要素、さらにリーダーシップを見ていきます。

　「人は世の中の人の役に立つために職場を創造する」と述べましたが、**世の中が変われば職場に求められることも変わります。**世の中が変わっているにもかかわらず、職場も人の意識も変わらなければズレが生じます。そのズレが「やる気がなくなる職場」を生むきっかけになっているのです。本項目では**「時代の移り変わり」**と**「意識のズレ」**を追って考えていきましょう。

❯「モーレツ社員」が称賛されていた時代

　かつて日本企業は、世界的に見ても突出した一体感・連帯感を強みとして成長を遂げてきました。日本経済は 70 年代まで高度成長をひた走ります。その成長を支えたのが「モーレツ社員」などと呼ばれたビジネスパーソンです。

　現代では「ブラック企業」「時代遅れ」などと呼ばれてしまいそうですが、**当時の日本では、ほとんどの企業が「時に家庭も省みず、会社優先で残業もこなしてバリバリ働く生き方」を良しとしてきました。**

　1980 年代に差しかかっても日本企業の勢いは続きます。80 年代

後半、メディアによる不動産価値の過剰な宣伝などにより、地価が急激な高騰を見せ、時代はバブル景気へと突入していきます。当時の従業員の仕事ぶりを象徴していたのが、栄養ドリンクのテレビCMのキャッチコピーの「24時間戦えますか」でしょう。まさにモーレツ社員のマインドを象徴するようでした。

　当時は、平たく言うと「日本経済は勢いがある」「働いた分だけ、結果が見える。結果が返ってくる」「たくさん働いて企業に貢献することは意味がある」。長時間働くことがわかりやすく成果に繋がるような時代があったのです。

　かつての職場は、やりがいはあっても働きやすさに乏しい、ばりばり職場であったのだと考えられます。

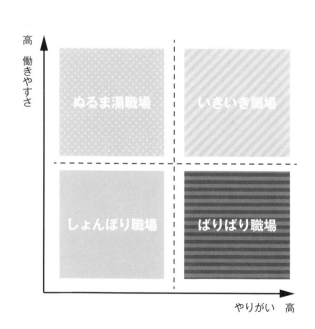

❷ バブル崩壊で職場はどう変わったか

　世界的に見ても、当時の日本は飛ぶ鳥を落とす勢いがありました。輸出を含め、外交でも存在感があり、GDP も右肩上がり。日本企業は卓越した技術力を生み出し、時価総額をどんどん高め、規模を拡大。「メセナ」活動に象徴されるように「爛熟の極みを迎えていた」と形容できるでしょう。

　ですが、そのような隆盛は永遠には続きませんでした。
　加熱した経済への反動として、1991 〜 93 年にバブルが崩壊。株価や地価が急落し、日本企業全体の勢いが失墜します。日本経済は長期の経済停滞に陥り、雇用情勢まで悪化することになります。

　「成果主義」「リストラ」「コストカット」 などの言葉が聞かれ始めるのもこの頃です。低迷する景気、閉塞した社会の空気感、その中で国際社会での競争を強いられるようになります。**「グローバルスタンダード」**（国際経済に共通する基準）という言葉が使われるようになったのも 90 年半ば頃の話です。

　バブルの前後で日本の会社、とりわけ経営・管理者に求められることが一変したわけです。

　景気がどん底になった結果、経費節減を強いられる。経費の中で最もかさむのは固定費である人件費であるため、社内でリストラが進む。
　年齢ではなく成果で評価する成果主義の機運が高まり、年功序列や終身雇用といった多くの日本企業が当たり前に運用してきた制度に亀裂が走り始める。

　すると、**一体感・連帯感といった日本企業が本来持ち得ていた強みは、多くの企業で徐々になくなっていった**……というわけです。

❷年功序列の時代にはあったもの

「**年功序列**」が、職場にどのような影響を与えてきたのでしょうか。年功序列とは、年齢・勤続年数が増すほど、給与や役職が上がることを表現したものです。

　日本では職能資格制度が年功的に運用されてきたため、年齢と共に職能資格等級（≒給与）が上がるという企業が多く見られました。

　年功序列のある職場では、先輩や上司は年齢が上で次のような上下関係の付き合いがありました。

「年上の先輩が年下の後輩にみっちりと指導をする」
「夜は一緒に残業をして飲みに行き、仕事の愚痴を聞き合う」
「週末も一緒に BBQ やゴルフをするなどと、公私にわたる付き合いをする」
「部下が上司の家に遊びに行く」

　職場には自然と一体感・連帯感が生まれていたのです。若年者にとっては、先輩や上司の仕事ぶりを間近で見たり、飲みながら武勇伝や失敗談を聞いたりする機会が豊富でした。自ずと仕事や組織への「誇り」、そして「上司への信頼感」が育まれていたわけです。

❷成果主義で綻ぶ「連帯感のある職場」

　ところがバブル経済が崩壊したことで、会社の財務状況は厳しくなり、従業員のパフォーマンスと報酬のバランスが適切なのかということに対して、関心が高まりました。

　そして、1990年代後半から2000年代にかけて**年功序列から「成果主義」へと方針転換をする企業が増えました。**

　成果主義とは、仕事の成果に応じて給与や役職などの待遇を決める考え方です。職務等級制度や役割等級（ミッショングレード）制度として導入・運用がなされており、期待される役割や仕事の成果が変われば昇格も降格も発生します。

　当該職務に対する専門性が十分にあったり、大きく成果を上げたりしている人の場合、年齢や勤続年数に関係なく、給与や役職などで好待遇を望めます。

　一方で、制度導入が当初の意図通りには進まず、成果主義の負の側面だけが強調されてしまった場合、従業員同士のライバル意識が強くなりすぎるなど職場の一体感・連帯感に亀裂が走ることになります。

　成果主義にはメリットも多くありますが、デメリットとしてコミュニケーションが希薄化し、先輩からの技術ノウハウの伝達や仕事の誇りを感じる機会が減るという事態が起きたのです。

❷「行き過ぎた成果主義」がもたらした悲しい現実

　成果主義をうまく活用できず、負の側面が強調されてしまった事象は他にもあります。職場への帰属意識が低下したり、年功序列で

はない新しい評価方法が浸透せず、結局これまでと同じような昇進昇格運用がなされ、実力のある人や若手が不満を抱えて離職してしまうということも起きました。

2000年代後半になると、**「行き過ぎた成果主義」**の反動のような社会問題が噴出します。製造業の一流メーカーが各種データを偽装、改ざん、捏造したり、品質をめぐる不正が明るみに出ることになります。結果的に大規模リコールが発生し、世間を騒がせたのは記憶に新しいことでしょう。

こうして、かつて日本企業の強みであった職場の一体感・連帯感が低下し、会社や仕事への誇りが揺らいでいったことで、かつては働きがいを感じることのできた「ばりばり職場」が「しょんぼり職場」になってしまったのです。

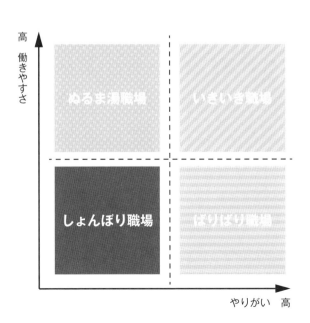

それらの流れを経て**「職場でオープンにものを言い合える関係性を築こう」**という気運が高まり、職場での関係性が取沙汰されるようになりました。

　「ヒヤリハット（危ないことが起こったが、幸い災害には至らなかった事象）に気付けるチームを創ろう」
　「三遊間の仕事（担当が曖昧な仕事）を拾うことが大事」

　風通しのよい人間関係の大切さに耳目を集めるようになっていきます。結果、**「現場力の再生」**がキーワードになっていったのです。

　2020 年代の今「DX」「ESG」「SDGs」など、さまざまな事象への対応が企業には求められています。職場において一体感・連帯感、仕事への誇りなどは引き続き重要です。ただし、その育み方は大きく変わってきています。多様な価値観を持つ人たちと連帯感を紡いでいくことは、誰にとってもチャレンジであるのは間違いありません。会社も、個人も、変化の対応力を身に付けることは必須です。その上で、今までとは異なる育み方で働きがいを追求していくことが大切なのです。

　次ページでは新たな形で働きがいを育む事例を紹介します。

事例4　組織横断型のゆるやかな交友関係づくり

大和リース株式会社（大規模部門／建設業）

　リース事業を核に幅広い事業・サービスを展開する大和リース。同社は「働きがいのある会社」認定・ランキングに2018年から6年連続で選出、2021年版ランキング（大規模部門）では24位に選出されています。

　同社の特徴的な点のひとつに「ラボ」（2020年から始まり2023年3月現在までに31グループ）があります。これは役職も性別も関係なく、約5人が集まり「テーマを決めて好きなことを楽しみながらやる」という取り組みです。予算は1ラボ100万円で、取り組み内容は仕事と直接関係がない活動が基本です。

　たとえば「甲子園ラボ」では、甲子園出場経験がある従業員を中心に野球好きが集まり、社内での東西対決野球や、野球経験者の情報を集めた大和リース版の野球名鑑を企画したりしています。

　若手から役員まで野球経験者がいるため、野球をきっかけに全国に存在している仲間と交流できる、というわけです。

　このような組織横断型のゆるやかな交友関係が社内のネットワーキングづくりに寄与したり、企業の文化醸成に繋がることは想像に難くありません。同社の例から「仕事の職分以外で、楽しさや面白さなどをシェアできる人間関係を築くことでも『働きがい』は高められる」と言えるでしょう。

やりがいはあっても疲弊する「ばりばり職場」

　ここまで、時代の変遷を紐解く中でかつての日本企業の職場が「ばりばり職場」であったことをお伝えしてきました。しかし、現代にも「ばりばり職場」は存在します。そうした職場はやりがいがあり、働きやすさが十分ではないという意味で「やりがい搾取」になる恐れがあります。当事者は「好きな仕事だから」「憧れていた職だから」「会社のビジョン・バリューに共感するから」などと高いモチベーションを保っていますが、企業はその状態が長続きするものと思っていてはいけません。働きやすさが整わない背景には人員・資金不足による環境の未整備が考えられます。

❯やりがい搾取の過酷な現実

　「上司が遠隔地にいたり、常に忙しかったりするために十分な支援や指導が得られない」「人手不足のしわ寄せで長時間労働や過酷な労働を強いられる」などの状態にさらされた場合、どんなに健やかで、優秀な人材であっても心身共に疲弊してしまうはずです。もともと、うつ病をはじめ、さまざまな適応障害はどんな職場でも発生し得るものです。とはいえ、ばりばり職場は外的な環境が過酷である分、心の健康に不調を来しやすくなります。一時的に頑張れても、長期間続けるのは相当な負担がかかります。

　そのような現場で働く当事者には、自分の健康を大事にするよう呼びかけたいですし、経営者層には労働条件の改善を求め、一層の警鐘を鳴らしたいと思います。

　次ページには、徹底的に働きやすさを高めて従業員と信頼を育んだ事例を紹介します。

事例5 働きやすさを徹底的に高めて、従業員との信頼を育む

株式会社ＣＫサンエツ（中規模部門／製造業）

「コロナ禍の積極的な情報公開」など、従業員との信頼感を高める施策をご紹介してきたＣＫサンエツ（44 ページ）。さらにユニークな同社の４つの施策についてお話ししておきましょう。

1つめは「夜勤レス」です。

この言葉は、おそらく同社の造語です。夜勤がなくなれば従業員の生活リズムが整い、意思疎通も円滑化し、分業や協業などのメリットを享受できます。そのため同社では深夜勤の全廃を目指し、改善や工夫を重ねてきました。とはいえ夜勤レスを実現するには越えなければならない壁も数多くありました。

設備生産ラインを夜間動かさないため、2 ～ 3 倍の設備能力が必要になります。この問題は M&A を積極的に行い、他社が保有していた設備をそのまま有効活用することで解決しました。また、安価な夜間の電力を使用できないため、コスト増というデメリットもありました。それは入札を行い、新電力から安く電力を調達することで解決。また、最大のネックだった「稼働を止められない電気炉・焼鈍炉」については、夜間の一時停止を可能にしたり、無人操業を実現したりしてクリアしたのです。

2つめは「年間賞与額固定」です。

同社では 2010 年から賞与支給額を固定にしています。「賞与は上がることはあっても下がることはない」という原則で運営しています。これらの取り組みの結果、労使交渉がなくなり、組合は全て自

主解散しました。さらに 2017 年には賞与支給額を 110 万円（年 2 回）、20 年からは 120 万円（年 2 回）に改定しました。

　加えて社員旅行を毎年催行しています。リーマンショック後に国内旅行に切り替えた時期もありましたが、コロナで渡航が制限された 20 年以前は隔年で海外旅行をしていました（全額会社負担、おこづかいも支給）。

　3 つめは「働き方選択」です。

　働き方改革という言葉が流行する前から「働き方選択」という制度を運用してきました。働き方は 4 パターンに分けられます。
　①仕事最優先で超高待遇希望
　②仕事優先で高待遇希望
　③私生活優先で低待遇希望
　④私生活最優先で超低待遇希望
　（社員の構成比は現在①が 15 ％、②が 70 ％、③が 15 ％、④は 0 ％）

　4 つめは「住宅の整備」です。

　同社では社員寮と社宅の整備にも尽力してきました。各工場の敷地の中に社員寮が 1 つ設置されており、全 122 室、3 DK 社宅は 18 戸あります（家賃は社員寮が月額 3000 円、社宅は月 7000 円）。

　「これらの取り組みが従業員に評価された結果、信頼が育まれ、職場の働きがいの向上に繋がった」、釣谷社長はそう捉えています。

特に、いま求められる「貢献実感」と「心理的安全性」

　日本経済が成長期にあった時代、１つの会社に定年まで勤めるということは一般的でした。さらに、「生活・家庭のために働く」ことは多くの人が共有していた価値観でした。

　時代が進み、高度に情報化された社会へと世の中が移り変わっていくと、労働観にも変化が現れます。

「世のため、人のためになる仕事をしたい」
「チームの中で自分らしく働きながら成果を出したい」

　１つは**「貢献実感を重視する」**という価値観、もう１つは**「心理的安全性」**です。どちらも後ほど説明します。

　1990 年から 30 年あまりで「生活・家庭のため」から「周囲への貢献のため」や「よりよい生き方のため」へ、人の働くことに対する目的意識は大きく変化してきているのです。時代の潮流を見逃すと「かつて活躍した職場」が、今では「やる気がなくなる職場」になっているかもしれません。そうならないよう、特に大切な２つの要素を詳しく見ていきましょう。

❷貢献実感とは？

　貢献実感とは、自分の仕事が誰かの役に立っている実感のことです。自分が行ったことが褒められも叱られもせず、人の役に立っていないと感じると不安になる――、それは貢献実感にかかわる不安です。たとえば「自分が売っているサービスが、お客様のためになっていない」「雑務ばかりで会社・職場に役立っているかわからない」などです。確かに時間を費やして一生懸命に行ったことが無意味なことだったら、その仕事のやる気は上がるはずがありません。

仕事を通じて何に貢献したいかは人によって異なります。先輩や同僚、職場や会社、さらにお客様や広く日本のため、人類進歩のため、地球のためといったことも貢献実感の対象になります。

　特に若い世代は、仕事における貢献実感を重視する傾向にあります。そのことをしっかりと認識し、職場における貢献実感にはどのようなものがあるのかを明確にしておくことが、やる気を維持する１つめのポイントとなります。

❷心理的安全性とは？

　ひと昔前は存在しない概念でしたが、近年はこの言葉を見聞きしたことがある人も多いのではないでしょうか。**心理的安全性（psychological safety）とは、1999 年に登場した心理学の用語で、会社やチーム全体の成果に向けた率直な意見、感想、質問などを、自由にいつでも発することができる心の在り方のこと**です。

　心理的安全性という概念を広めたのが Google です。Google は 2012 年から約 4 年の年月をかけ「効果的なチーム」についての調査や分析を行った結果、次の事実にたどりついたのです。

「真に重要なのは『誰がチームのメンバーであるか』より『チームがどのように協力しているか』」
「さまざまな協力の仕方がある中で、圧倒的に大切なのが『心理的安全性』である」
「心理的安全なチームは離職率が低く、収益性が高い」

　これは体験的にわかることではないでしょうか。

「話を遮り会話ができない管理職」と「職場メンバーの話を必ず手を止めて聞き、受け止めてくれる管理職」
「昇格降格をちらつかせる上司」と「常に期待をかけてくれる上司」
「陰口が横行するチーム」と「お互いの仕事ぶりを心から称え合うチーム」

それぞれどちらが働きたくなる職場、生産効率のよい職場であるかは一考に値します。

一方で、心理的安全性の低い職場も存在します。そのような職場はやる気がなくなる職場になる要因のひとつです。あなたの職場はどうでしょうか。心理的安全性を高い状態で担保することが、やる気を維持する２つめのポイントです。

◉他にもある「やる気がなくなるきっかけ」

他にも「やる気がなくなる」個別の具体例は多々あります。たとえば「ワンマンな社長の一存で、全てが決まってしまう職場」「セクハラやパワハラが横行している職場」なども、挙げられます。ですが、コンプライアンス意識が高まっていることもあり、このような例は以前より急激に減っているようです。

次に、貢献実感や心理的安全性を高めることに成功した事例を紹介します。

事例6　貢献実感をバックオフィスで働く従業員へ

株式会社バーテック（小規模部門／製造業）

　2023年版「働きがいのある会社」ランキング小規模部門におい
て3位を獲得したバーテック。60年以上の歴史を持ち、3代目代表
取締役社長の末松仁彦氏が率いる、工業用ブラシメーカーです。衛
生管理用の商品の提案から、防虫対策や異物除去など、ブラシを使
ってできるさまざまなソリューションを提供しています。同社の働
きがいを高めた優れた施策のひとつをご紹介します。それはバック
オフィスの部門で働く従業員に向けた「導入事例集づくり」です。

　バックオフィスとは経理、財務、人事、総務、一般事務などの業
務が該当します。「後方支援」という意味合いを持ち、直接利益を
生まない業務を指します。バックオフィスで働く従業員は通常「ど
こで、どのように自分たちの会社の商品が貢献しているのか」を知
る機会が少ないものです。しかしそれでは「働きがい」はなかなか
高まりません。そこで同社は導入事例集の制作へと踏み切りました。

　そこにはお客様が同社の商品を導入した経緯や、その後の成果に
ついてなどがまとめられています。それを読んだバックオフィスの
従業員から「仕事に誇りを持てるようになった」と反響の声があが
ったそうです。

　バックオフィスで働く自分の仕事が、回り回ってお客様や社会全
体にどのような影響を与えているのか。それを知ることでより働き
がいを感じられるようになった従業員も多いことでしょう。このよ
うに貢献実感は従業員のエンゲージメントも高めてくれるのです。

カリスマ性があるリーダーシップの是と非

　時代の移り変わりとともに捉え方が変化したものを挙げておきましょう。それは職場におけるカリスマ的な **「リーダーシップ」** です。

　大量生産かつ大量消費の時代、カリスマ性のあるリーダーシップが指し示す明確な方向性に向けて、全従業員が一丸となって働くことができる職場は、理に適っていました。

　「追い付け追い越せ」という競争社会の中で、拡大する需要を満たしながら、圧倒的な牽引力を発動して、会社を率いていくことこそ、リーダーの条件だったからです。明確な方針を示し、従業員をひとつの力にまとめ上げることこそ、リーダーの使命でした。

　大量生産の時代は終わりを告げ、価格競争が生まれ、あらゆる「もの」はコモディティ化。世間は大量生産によってつくられた工業製品に飽き始めます。そして、オーダーメイドや1点もの、作家ものという概念が注目され始めるようになります。それが消費面において「個」が求められるようになった時代の始まりです。

　さらに時代が進み、社会はより成熟して物質的に豊かになると、生き方や存在価値などを重視する人が増え、多様性が重んじられるようになりました。**「ダイバーシティ」「働き方改革」** といった考え方も登場し、広く浸透し始めます。

❥新しい時代の新しいリーダー像

そのような時代になると「強力なカリスマが強力なリーダーシップを発揮して会社を率いて収益を上げていく」というスタイルに綻びが出始めます。

そして令和の時代になると「リーダーの牽引力でビジネスを成長させる」という考え方に代わる、新たなリーダー像が支持を得るようになりました。求められるリーダー像として**「周囲を巻きこみ、行動を促す新たなリーダーシップ」**が、重視されるようになっていきます。

もちろん、役割としてのリーダーは企業に必要です。ただし、「カリスマ型のリーダーが強烈なリーダーシップを発揮して職場や会社を率いていく」というスタイルだけでは、変化の激しい世の中を生き残っていけなくなってきたのです。

リーダーは、従業員一人一人の「個」を活かすリーダーシップを発揮し、お互いの知識を組み合わせた共創型の会社運営をすることが、成果を出していく上では求められるようになってきました。

かつてのよい職場を形容する言葉として「統制が取れている」「上意下達」などのフレーズがあります。上意下達とはここでは「経営・管理者の命令や意図が、従業員によく伝わること」などという意味です。

もちろんそれは、現代でも大切なことなのですが、それだけでは不十分です。

働きがいの観点から見ると、一方的なリーダーシップではなく、双方向の信頼関係が強固であることがリーダーシップの有効性を決定付けていきます。

　本節では、歴史背景から職場の変化を解説してきました。次に「ぬるま湯職場」を追っていきましょう。その前に、上意下達な会社から従業員一人一人の主体性を重視する会社に変革を遂げた事例を紹介します。

事例7　上意下達の会社から、従業員主体の会社へ

内海産業株式会社（中規模部門／卸売業、小売業）

　2018年版より例年「働きがいのある会社」調査に参加している内海産業。同社は「買い物ゴコロに、火をつける。」をスローガンに、ノベルティグッズ提供などを通じた購買促進事業を展開しており、セールスプロモーションにおけるパイオニア的な存在です。

　しかしながら、かつては人事制度が整っておらず、離職率が10％を超えてしまう中、人事制度を整備する目的で行った無記名アンケート調査では「経営陣の能力に不満」「自分の提案が生かされる気がしない」など辛辣な言葉が並んでいたそうです。代表取締役社長の長野慎氏は、当時の会社を次のように語ります。

　「お取引先から『内海産業さんは軍隊みたいですよね』と言われたことがあります。上意下達で統制が取れており、きっちり結果を出していくという意味です。しかしながら、ビジョンのないトップダウン型組織ではいけない」

　長野社長は「100年愛される企業」を使命と考え、実現に向けて典型的なトップダウン型組織からボトムアップ型組織への進化を目指していきます。

　「実現のためには、理念に基づき各人が主体的に考え、行動する"社員が主役"の会社を目指すべきだと考えたのです」

　その施策のひとつが「働きがいワークショップ」です。「働きがいのある会社」調査の結果を共有し、課題のある項目の中から優先テーマをピックアップして、その具体的な対策について、所属して

いる組織の中から代表の社員を募り、議論を重ねました。

同社は特に「連帯感」のスコアが低かったため、一体感をつくり出すための意見が交わされました。また、ワークショップでの話し合いに終わらず、できるだけ多くの従業員を巻き込み、その意見に基づいて働きがいのある会社づくりを行うために、参加メンバーはそれぞれの職場でも働きがいワークショップを実施。働きがいのある会社を目指す取り組みを社内の隅々まで浸透させていったのです。

また、メンバーの発案で、ほかにもさまざまな取り組みが行われるようになりました。たとえば「買促の日」（8月4日）に全社員が内海産業のビジョン「"購買促進"を、日本の常識に。」について熱く語る「買促フェス」を開催。その他、全社員のビジョン・パーパスを集めた動画の作成や、全国の拠点・部門の仲間を結ぶ社内報の創刊など、一体感を高める取り組みが次々と生まれています。

さまざまな取り組みの結果、離職率は4％台になったそうです。「将来的には会社のメンバーが『自分の子どもを入社させたい』と思えるような会社にしたいです。またその子どもが『自分の子どもをここで働かせたい』と考える循環をつくり、代々受け継がれていくのが究極のゴールですね。その実現に向けて、社員が主役の取り組みを継続していきたいと考えています」

時代が求めるリーダー像は「カリスマ的なリーダーシップ」から「周囲を巻き込み、行動を促す新たなリーダーシップ」へと移り変わっています。内海産業が実践しているように「社員が主役の会社」を目指すことで、従業員一人一人の主体性が高まり、従業員の働きがいが向上する。そんな原則をこの事例は教えてくれています。

04 / ぶら下がり社員が増える 「ぬるま湯職場」

「ぬるま湯職場」には、どんな傾向があるか

　日本において「働き方改革」が推進された結果、多くの企業が働き方の改善・改革を重ね、働きやすさが高まりました。しかしながら、やりがいには焦点が当たっていなかったため、働きやすさだけが高まってしまいました。次ページにそれを示唆する調査結果を記します。

　たとえ、時短勤務やリモートワークができ、好条件で仕事に取り組めたとしても、貢献実感や成長を感じられないなど、やりがいがなかったら、ぬるま湯職場かもしれません。

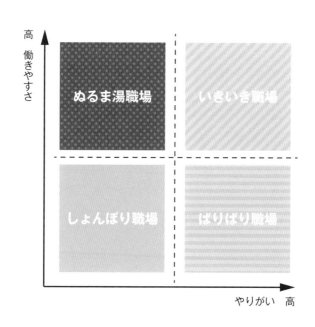

　ぬるま湯職場は危機感を感じにくいこともあるでしょう。場合によっては「整った環境で、高待遇で働けているのだから十分だろう」、そんな見方があるかもしれません。しかし、従業員のやりがいを軽視していると、ぬるま湯職場の特有の傾向である**「ぶら下がり社員の増加」**「優秀な人材の流出」**といった問題が起こってきます。

　図表1-1と図表1-2は、それぞれ2018年と19年の2年間にわたり、日本においてGPTW Japanの調査を行った企業（199社）を対象とし、各企業における「働きやすさ」「やりがい」得点の変化を表しています。

　働きやすさの得点の変化は、低下が37.2％で改善が52.3％になりました。次いで、やりがいは、改善が39.2％に対し、低下が53.8％です。つまり、2018年から19年にかけて、働きやすさは高まったものの、やりがいが低下していることがわかります。

[図表1-1] 2018年から19年の「働きやすさ」の変化

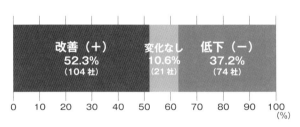

[図表1-2] 2018年から19年の「やりがい」の変化

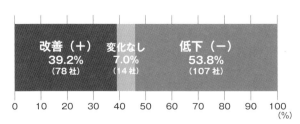

◉「ぶら下がり社員」の問題

　ぶら下がり社員とは、**仕事に対する動機や会社へのコミットが弱く、指示されたことや与えられた仕事を受身的にこなし、成果を追求する主体的な行動をとらないような人材**を意味します。

　現状維持を望む傾向があり、昇給や昇進などへの意欲も強くありません。自身の成長やキャリア形成に関心を持たないまま、文字通り会社にぶら下がっている、というイメージです。たとえば、ぶら下がり社員には「主体的に動いて仕事を獲得」「新規性に富んだアイデアを提案」といった行動がほとんど見られません。

　職場の問題としては消極的な働き方が他の従業員に波及して同じようなぶら下がり社員が増えたり、前例踏襲の仕事や上意下達の仕事ばかりが増大して現場のモチベーションが低下していく危険性があります。そのような気運が広がると会社は脆弱化してしまいます。

　明確にぶら下がり社員のレッテルを貼られてしまうような従業員は多くはないと思いますが、隠れぶら下がり社員はまだまだ企業に存在するでしょう。ぶら下がり社員の発生を抑制するためには、やりがいを高めることが先決です。

　そのためには、会社が目指す方向性やビジョンを共有すること、一人一人がそこに向けてどのような貢献ができるのかを話し合い、チャレンジを推奨していくことなどが有効です。

◉「優秀な人材」の流出

　特に大きな問題としては、引く手あまたで優秀な人材が離職する恐れがあります。多くの事例を見てきた経験から言うと、優秀な人

材は総じて、給料や職位などの外的な評価だけではなく、内的な評価を大事にしています。

会社・職場のパーパスやビジョンが魅力的か
会社・職場の地域社会や世の中全体への貢献内容に共感できるか
共に働く仲間や上司を尊敬できるか

　所属する職場を誇りに思えるか、その職場の構成員である自分を誇らしく思えるか、自己実現を叶えられるか。すなわち、やりがいを持てるかどうかということは、自身のアイデンティティにまつわる問題なのでしょう。

　もちろん、働きやすさも大事なファクターです。納得できるお給料がもらえることに加えて、最近、日本全国どこでも働ける、飛行機での出社もOKとする会社が出てきていることに象徴されるように、柔軟で多様な働き方ができることも、職場を選ぶ条件のひとつになってきていると思われます。

　つまり、経営・管理者が優秀な人材を集めたい場合、働きやすさだけでなく、見落としがちなやりがいを高めることが重要です。優秀な人材に選ばれる職場になるためには、企業の本質的な理念やビジョン、パーパスなど、やりがいに大きな影響を及ぼす要素を磨き上げていくことが重要です。

　次ページでは「自分ごと化」を促す施策を行い奏功した事例を紹介します。さらに次の事例ではコロナ禍においても優秀な人材を集め、定着させた例を紹介します。

従業員に「事業戦略の自分ごと化」と、V字回復

クリスピー・クリーム・ドーナツ・ジャパン株式会社（中規模部門／飲食サービス業）

アメリカに本社を置くクリスピー・クリーム・ドーナツ。同社の日本1号店の新宿サザンテラス店は1時間待ちも珍しくない行列をつくり、大きな話題になりました。2015年には約60店舗にまで拡大しましたが、その後、17店舗を閉店。撤退がささやかれる事態となります。代表取締役社長の若月貴子氏は「日本で長く愛され続けるブランドになるための基盤が全く整っていなかった」と言います。改革に取り組んだ「ミドルマネジャー強化」と「事業戦略の自分ごと化」を覗いてみましょう。

大きな課題は「経営と現場を繋ぐミドルマネジャーが力を発揮できておらず、経営と現場の足並みが揃っていなかった」と分析しています。マネジメントについて、特定の人物しか把握できておらず属人的だったと言います。そのため、会社としてのありたい姿をしっかりと共有し、現場に伝えられるミドルマネジャーを選抜し、育成を強化することにしたのです。ミドルマネジャーは全社員対象の挙手制で募り、外部の客観的な判断のもと若手を中心に登用。事業の方向性や価値観を共有するコミュニケーションや、マネジメント研修、未熟なミドルマネジャーの日々のケアに力を入れたと言います。

もうひとつの改革点が「事業戦略の自分ごと化」。半年に1回の社員集会時にも「自分ごと化」を促すためのワークショップを実施しました。そこで会社が目指す姿を経営者層が社員に語り、それぞれが当事者としてどのように実現を目指すかを話し合いました。言

語化して共有し、自分ごと化を促したのです。

　そのようなプロセスを経て従業員が変わり始めました。たとえば、会社全体として新しいプロモーションに取り組むことが決まった時、以前は"やらされ感"が少なからずありました。しかし、多くの従業員が「どうすれば、上手くできるのか」と前向きに捉え、経営と現場が連携したプロモーションを展開できるようになったのです。

　他にも、店舗の展開を三大都市圏に集中させるなどの改革をしました。改革の成果が現れ始めたのが、2017 年の夏ごろ。対前年度比の既存店売上高がプラスに転じ、Ｖ字回復の結果に至ったのです。さらにその後、従業員の動きにも変化があったようです。若月社長はその一場面を次のように言います。
「2020年は当社もコロナウイルスの影響を受けました。緊急事態宣言期間中、わざわざご来店くださったお客様にサンキューカードをお渡しする取り組みを始めました。宣言が解除された後も、現場の従業員が自主的にサンキューカードの取り組みを続けてくれています。特に印象的だったのは神戸店での出来事。市内に２店舗あった店舗を統合することになった時、現場の従業員が『こちらの店舗は閉店しますが、もう１店舗のご愛顧をよろしくお願いします』とお客様にお伝えした結果、存続店は売上を大きく伸ばしました。このように主体的に動いてくれる従業員に感謝していますし、経営の意思が伝わっていることを嬉しく思いました」

　会社の戦略を伝えるミドルマネジャーを強化し、事業戦略を自分ごと化する取り組みがきっかけのひとつとしてＶ字回復を果たしました。従業員が主体的に働く仕組みをつくったことで、自ら行動する従業員が増えたのです。

緊急時に奮起する「優秀な人材」確保のカギ

株式会社CKサンエツ（中規模部門／製造業）

「双方向コミュニケーション」の素晴らしさに焦点を当てて、既にご紹介した同社ですが（44ページ）、「情報開示」に対する姿勢についてお話ししておきましょう。

同社では経営方針として「常に情報をオープンにすること」を掲げてきました。それこそが会社と従業員の信頼関係を構築するカギと捉えているからです。結果、優秀な人材の確保に成功し、業績を伸ばし続けています。その姿勢は、コロナ禍においても変わりませんでした。

2020年2月の「月例会」（全体集会）で、釣谷宏行社長はコロナ対応について「会社が赤字になっても従業員の収入は変わらないので心配せず、業務に集中してください」と予告しています。

そして釣谷社長は有言実行します。同年6月、従来通り社員一人あたり120万円の賞与を支給。また、東証一部上場以来初の経常赤字についても開示しましたが、12月にも予定通り120万円の賞与を支給しました。その理由について釣谷社長はこう述懐しています。
「コロナ禍での学びとしては、きちんと"情報開示"すれば従業員も地域も信頼してくれるということです。リーマンショックや東日本大震災の時と同じように、過剰反応しないことを目指しました。こうした非常時にこそ、落ち着いて対処することが大事ですから」

実際、同年4月に社員が新型コロナウイルスに感染した時も、同

社は冷静かつスムーズに対応することができました。即日、全社員はもちろん、地域住民にも説明を行いました。新聞やテレビなどのメディアの取材にも誠実に対応し、ネット上でも情報を公開。「富山県で14件目の発症」と大きく取り上げられたものの、詳細な情報提供をした甲斐あってか、風評被害を受けることはありませんでした。

　そして同年12月には、半導体産業や自動車産業の景気回復に伴い、同社は突然の繁忙期を迎えます。ありがたいこととはいえ、それもある意味、非常時。あまりに急激な変化であったため、工場での生産が追いつかなくなり、納期が危ぶまれる事態に陥ったのです。年末年始に休み返上での対応が必要となってしまいました。

　現場の従業員は、それを快諾。
　おかげで無事に納品にこぎつけることができたと言います。

　このような従業員の奮起は、日頃の会社との良好な関係性の賜物でしょう。信頼している会社へのロイヤリティがあるからこそ、職業人としてのプライドをかけて、全力で応えたわけです。

　このように会社側の情報公開は、従業員に心理的安全性をもたらすだけではありません。一体感・連帯感や、やりがい、さらには職業人としてのプライドやプロ意識まで呼び起こす力があるのです。
　コロナ禍のような不測の事態においても情報公開をいとわない誠実な対応は、優秀な人材を集め、定着させるカギと言えるでしょう。

働きやすさは高まっても、
やりがいが低いままの理由

　引き続きぬるま湯職場の問題に焦点を当てていきます。繰り返しになりますが、働きがいとは、働きやすさとやりがいに分解されます。そして、日本企業の多くはやりがいにまつわる問題が置いていかれていると前述しました。

　なぜ、そのようなことが起こっているのでしょうか。

　その理由のひとつに**「施策の着手容易性」**が挙げられるでしょう。働きやすさを高めようと思うと「労働時間の削減」「休暇取得推進」など、やるべきことの道筋がある程度、具体化しているため、経営・管理者がトップダウンで進めていけることが多くあります。

　また、**「実施後の効果の見えやすさ」**もあります。実際、過去3年間の調査結果を見ると、働き方改革の影響もあり、働きやすさの指標は年々上昇しています。「各部門の設備や施設の改善」「時間外労働の削減」「休暇取得の推奨」といった具体的なアクションが従業員の高評価を反映しています。不断の努力の賜物でしょう。

　一方、やりがいを高めるのはやっかいだと捉えられがちです。
　主な理由としては「どんな施策を行ったらよいのか、イメージできない」「効果が出るのに時間がかかりそう」「実際に会社の成長に効果があるのかわからない」などの懸念があるようです。また、「『やりがいの改善』については他社の事例が参考になりにくい」というお悩みの声も多く見聞きします。

　しかし、自社にとっての**「やりがい」を高めようと試行錯誤する**

姿勢自体が、従業員のやりがい向上に寄与します。また、やりがいの改善に挑むことを決して恐れないでほしいと、まずお伝えします。ここで、ある企業の例を見てみましょう。

●「やりがいは、やっかい」の見方を変えるD社の例

　D社では、独自のカルチャーが会社の土台に根付いています。世の中に新しいサービスを創出する事業を成功させるための「オープンでチャレンジしやすいカルチャー」を意図的に醸成しているのです。D社がやりがいを高めるために行った施策は次の通りです。

① 会社構造を極力フラットにする
② 社内のあらゆる情報を共有する
③ 仲間との交流を支援し、職場全体の風通しをよくする
④ 失敗についての社内批判をなくす
⑤ 皆で週1回対面で会議を行う
⑥ 情報はわかりやすいところに掲示する

　会社が一丸となってこれらの施策に取り組み、さらにはトライアンドエラーを繰り返し、柔軟に改善・改良を重ねていくことで、D社は「オープンでチャレンジしやすいカルチャー」の浸透に成功しました。多くの従業員は心理的安全性が担保され、やりがいが高い環境で働けているので仕事に没頭しやすくなります。

　このD社のやりがいを高める施策例はどれも、多額の資金を必要とせず、すぐに始められることではないでしょうか。
　次のページでは、経営・管理者が従業員のやりがいを下げてしまっている場面を紹介します。

❯ 経営・管理者が、やりがいを低くしている場合

　経営・管理者がネックとなり、従業員のやりがいが高まらない理由も指摘しておきます。代表的な理由が2つあります。

　評価基準が曖昧であること
　従業員を職場の成果を上げるための道具・手段として扱うこと

　以前、ある会社で行った管理職対象の研修で「あなたにとって、部下とは？」という問いかけに「駒です」「車輪です」という回答をした方がいました。残念なことですが「**従業員＝職場の成果を上げるための道具**」という見方をする経営・管理者も世の中には存在します。

　このような経営・管理者には、たとえば研修やコーチング、先輩経営者からの薫陶を受ける場などの学びの機会を設けて、マネジメントに対する考え方を更新してもらうことが必要でしょう。

　ところが、日本では管理職以上を対象とした学びの機会が多くありません。「**マネジメントという仕事は、ある程度、経験を積めば誰にでもできる**」という幻想があるのかもしれません。
　マネジメントという仕事を軽く見ることなく、管理職としての自身の力量を客観視し、マネジメント力を高めていくことが欠かせません。従業員のやりがいを高めるには管理職自身の自己変革・スキルアップと意識改革は避けては通れないのです。

　次に、経営者が従業員を管理する風土でやりがいが低下する例と、「企業風土づくりに注力する経営者」の事例を続けて紹介します。

ワンマン経営が引き起こした従業員の「諦め」

　A社は、十数年前の調査時点から、経営・管理者から管理されていると従業員が感じている傾向がありました。特に部長層でこの傾向は顕著でした。直近の調査結果でも「経営・管理者層は従業員の仕事ぶりを信頼している」という主旨のアンケート（設問）においても、部長以上でポジティブな回答は0％。役員・経営幹部においても1割程度と、極端に低い結果となっていました。

　A社には大きな原則がありました。「全ては社長が決める」という企業風土です。また、「**従業員を全面的に信頼しているわけではない**」、経営・管理者のこの意識が強く、従業員側にも「自分たちは管理されている」という自覚があったのです。従業員に「新規性の高い挑戦をしたい」という思いがあったとしても「どうせ否定される」「どうせ社長のところで覆される」、そう考えてしまい、諦めてしまう。そんな事態が日常茶飯事になっていくと、挑戦への意志もやりがいも湧いてこなくなります。

　経営・管理者と従業員、互いに不信であるこの状況に人事部は、何もしなかったわけではありません。経営・管理者と従業員を集めた座談会や部活動を行うことや、管理職研修の実施など、さまざまな努力をされてはいます。しかしながら、社長から権限委譲がされないこの状況では、信頼は育まれません。A社における働きがいを高めるには「全ては社長が決める」という企業風土の是正が必要です。私たちは、そういった分析結果をご提案しました。どう活かすかはA社の皆さん、特に経営層にかかっています。

社員が漏らした「早く明日にならないかな」。
社員ファースト経営の結果

iYell 株式会社（中規模部門／情報通信業）

「住宅ローン×テクノロジー＝住宅ローンテック」を掲げ、住宅ローンに関するソリューションを提供する iYell。2016 年に設立された若い会社ですが「働きがいのある会社」ランキングで、2018 年から 6 年連続でランキングに選出、2023 年版ランキングでは中規模部門 15 位に輝いています。それは「社員ファースト経営」を貫いてきた代表取締役社長兼 CEO の窪田光洋氏の方針によるところが大きいでしょう。

　窪田社長が社員ファーストにこだわるのは、過去にお客様第一主義を目指した結果、離職率が上がるケースを見た経験があるからです。窪田社長はこう述懐しています。

「社員が辞めてしまうと引継ぎが発生し、結果的にお客様に迷惑をかけてしまいます。だから、まずは社員を幸せにしたい。社員がワクワク、楽しく、笑顔で働いていたら、結果、お客様を幸せにできると信じています。社員ファースト経営は回り回ってお客様のためになるのです」

　一方で「優れた企業文化をつくることこそ、トップの任務」というのが窪田社長の信条。事業はできる限り従業員に任せ、企業文化の醸成に繋がる仕事が窪田社長の業務の大半です。

　入社時のバリュー研修や毎日のランチ会、定期的に行う面談などに注力をしています。さらに「月に一度、新しい福利厚生などの制度をつくること」を社員に約束しています。たとえば「パパ産休」

「住宅ローン補助」「サプライズ休暇」など、社員の声をもとに「真に社員想いの福利厚生」をつくってきました。制度をつくる時は、働きやすさとやりがいの2つの視点を意識しています。

働きやすさを高める制度としては、部活動や社員旅行をはじめとして、家族と過ごすための有給取得を奨励し、交通費も支給する「ホームカミングサポート」などさまざまです。

やりがいを高める制度としては、社員の背中を押す「チャレンジ応援制度」、マネジメントに挑戦する前段階として必要なことを学び、経験できる「マネジメント登竜門制度」などが挙げられます。

さまざまな取り組みに尽力した窪田社長は、次のように語ります。「嬉しかったのは、GWの最終日にある社員が『早く明日にならないかな』と、社員みんなが見られるところに投稿してくれたこと。これまでやってきたことは間違いではなかったと非常に嬉しく感じました」

働きやすさを高めるための各種施策を従業員が発案したものを具現化していくことで、従業員のやりがいも高めることに寄与しています。つまり、働きやすい環境をただ会社が準備するのではなく、従業員の自発性や主体性を引き出す手段として活用することで、やりがいも高まっていくということです。

また、社長の思いや会社のビジョン・バリューを伝えるさまざまな施策もセットで行われたことでやりがいを高めた好事例です。

❯無意識にやりがいを低くしてしまう「上司」

これまでの事例を見てきて、従業員のやりがいを高めるには経営・管理者の意識改革が重要であることはご理解いただけたと思います。とはいえ、従業員のモチベートに自己流で挑むと失敗してしまう例もあります。その代表例が**「過去の例の押しつけ」**です。

確かに「部下は、上司が実績を残したやり方やマインドを再現すること」が推奨されていた時代もありました。ひと昔前の上司は部下と密接に関わり、自分のやり方を伝承したり、武勇伝を聞かせたりしてきたわけです。

しかし今は、"VUCA"（変動性・不確実性・複雑性・曖昧性）と言われるように変化が激しく、環境が複雑性を増し、想定外の事が発生する将来予測が困難な時代です。今までのやり方は通用しづらくなり、職場のボトムアップの力を引き出すことがより重要になると言われています。「過去の例の押しつけ」により、変化の時代に対応し得るボトムアップが抑圧される可能性があります。そのようなアプローチではやりがいが高まりにくいのです。

❯「過去の例の押しつけ」をする人が欠けていること

そもそもやりがいを感じるポイントも人によって十人十色です。

顧客や上司からの期待が大事な人
仲間と働くことに意義を見出している人
職場での承認を求めている人
金銭的な報酬を重視する人

他にもあるでしょう。それにもかかわらず、自分がやりがいを感じた事例を押しつける上司は、部下のやりがいを知る努力が見られ

ない傾向があります。よかれと思って「かつてバリバリ仕事をしてはじめてやりがいが見つかった。きみもそうしなさい」などと押しつけると、合わない部下のやりがいは低下してしまうことでしょう。

❷部下の強みと会社の方針を統合するマネジメント

推奨したいのは、個々の従業員のやりがい探しにまず、寄り添うことです。

あの人はどのようなスキルを持ち、何が得意なのか
あの人は何に興味があり、何をしたいのか

個性やその人のスキル、やりたいことを把握し、どうすればその強みを最大化できるかを軸に考えることです。職場全員のやりがいを把握したら「職場内の掛け算」を試みてください。誰にどのような仕事を渡して、誰と誰をチームにすれば、より成果を創出できるのか。会社や上層部の戦略や方針だけではなく、従業員一人一人の立場に立って、やりがいを軸とした未来を考え、会社の戦略や方針と統合して方向性を提示する。それが現代のマネジメント像です。

とはいえ「どうすれば部下の気持ちがわかるのか」、そんな声も聞こえてきそうです。**部下の個性を知るには対話をする**しかありません。仕事ぶりから見えるものもありますが、「何に興味があり、何をしたいか」などは、刻々と変わるものでもあります。本人に今現在のリアルな気持ちを尋ねる必要があります。心理的な距離を普段から縮め、話しやすい関係を築いておくことも大事です。詳細は、1on1 のやり方（148 ページ）に記します。

次のページから「組織を高め合うフィードバック」と「『急な離職』がなくなった、コミュニケーション」の事例を紹介します。

フィードバックで、高め合う組織を実現

株式会社コンカー（中規模部門／情報通信業）

　会社・職場内の人が互いに建設的にフィードバックをし合い、成長を加速させる「高め合う文化」を確立させたコンカーの例です。同社は 2023 年版の日本における「働きがいのある会社」ランキング（中規模部門）にて 6 年連続で 1 位を獲得しています。

　しかし、代表取締役社長の三村真宗氏が現職に就任した 2011 年頃は、混迷を極めていたそうです。

　三村社長が会社を立て直す覚悟で取り組んだのが、全社員参加必須の、合宿と呼ばれるオフサイトミーティングです。2013 年の合宿では「全世界のコンカーのなかで、アメリカに次ぐ事業規模を実現しよう」「国内 IT 企業で最も働きがいのある企業になろう」という 2 つの目標を社員全員で決め、目指すことを誓いました。

　その後、2017 年には事業規模はアメリカに次ぐ 2 位へと拡大。働きがいも、GPTW の調査結果に見られるように目標を達成しました。

　なぜ、合宿で定めた目標を実現できたのでしょうか。

　コンカーの「高め合う文化」という企業文化を社員全員が意識し、行動したからでしょう。同社の高め合う文化とは「フィードバックし合う文化」「教え合う文化」「感謝し合う文化」の 3 つで構成されています。

　特にコンカーの強みとなっているのは「フィードバックし合う文化」です。従業員同士が建設的なフィードバックをすることで、相

互に影響し合い、刺激し合うことで個々の成長を促すことが当たり前のようにできる環境があります。

　建設的なフィードバックは、従業員同士の信頼関係も強めていきます。ひいては会社全体の成長に繋がるのです。

　同社のスローガンは「No Feedback, No Concur」。「相手のために愛情を込めてフィードバックできる文化を、隅々まで浸透させたい」というのが三村社長の願いです。それは「社員に寄り添い、力を貸す姿勢」に通底するものがあります。

事例13 サプライズ転職がなくなる会社の対話

スローガン株式会社（中規模部門／サービス業［他に分類されないもの］）

　新産業に必要な人材向けのキャリア支援などを行うスローガン。スローガングループとして2020年から「働きがいのある会社」ランキング（中規模部門）に4年連続ランクイン。同社の特徴は「普通はそこまで任せない」と思われる領域にまで、若手に権限を与えること。それは創業社長である伊藤豊氏による方針です。

「コンプライアンスやリスク評価は上層部がカバーするから、大胆に権限と機会を与えることこそ、若手の潜在能力を最大限に引き出し、事業を拡大することに不可欠」

　このような信念のもと会社を拡大してきました。結果、社内に小さい会社が複数稼働する状態になったのです。

　また、従業員との対話の機会を重視しています。以前は「この会社ではやりたい仕事ができないので転職します」と突然辞める「サプライズ転職（退職)」があったそうですが、今はほぼないようです。

　それは「社内で率直にキャリアについて対話し、希望を叶えるための努力を本人とマネジメントが双方協力することで、キャリアデザインを叶えることができるケースが多いから」と伊藤社長は分析します。また「リーダーが優秀な人を手放すのが嫌で異動させない」などの問題が起こらないように日頃から1on1で、メンバーの要望をヒアリング。人事や幹部と共有することで、業務のアサインや異動の希望を受け入れるための調整ができているのです。

　従業員の要望を上手く吸収し、効率よくシェアする仕組みを構築した同社の施策、刮目すべきものがあります。

05 / 働きやすく、やりがいのある「いきいき職場」

やる気に溢れる職場で起こること

　働きやすさもやりがいも高い、働きがいがある職場「いきいき職場」を最後に見ていきましょう。

　従業員全員が、主体的で信頼のあるコミュニケーションで繋がり、健全であるこの職場には、どんなメリットがあるのでしょうか。「離職率が低い」「成長が著しい」……いずれも起こり得ることです。

　特に注目したいのは、**働きがいがある職場には「変化に対して柔軟である」「新しいチャレンジの芽を育む土壌がある」という特徴がある**ということです。これらについて解説していきましょう。

　世界のあらゆる常識を変えたコロナ禍ですが、職場を変えたもののひとつにリモートワークがあります。リモートワークと働きがいの関係を示すデータをご紹介します。

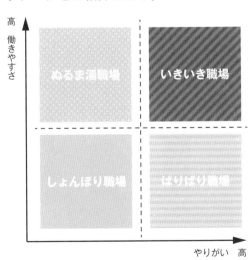

❥コロナ禍でも「信頼」が落ちなかった理由

　リモートワーク環境下における縦・横のコミュニケーションの実態調査を見ていきましょう（図表1-2）。2021年版調査「働く人へのアンケート」において従業員が回答した「縦のコミュニケーション」（経営・管理者と従業員間でのコミュニケーションに関する4項目の平均値）と「横のコミュニケーション」（職場全体でのコミュニケーションに関する7項目の平均値）の得点をリモートワーク成果実感別に集計したところ、成果実感が高いほど縦・横のコミュニケーションの得点が高く、群間で統計的な有意差が確認されました。リモートワークを成功に導くためには、縦・横のコミュニケーションをいかに活発化させるかが重要であることが示唆されます。

　さらに、総合設問（「総合的にみて、働きがいを感じる」）について確認を行ったところ、同じく成果実感が高いほど総合設問の得点が高く、群間で有意差が見られました。このことから、コロナ禍でのコミュニケーション施策に注力し、リモートワークの成果実感を得ている企業は、働きがいの水準も高いレベルにあることがわかります。働き方の大きな変化に対して柔軟に対応できていることと、高い働きがいには相関があると言えます。

[図表1-3] リモートワークにおけるコミュニケーションの実態

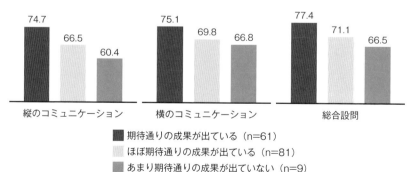

74.7　66.5　60.4　　75.1　69.8　66.8　　77.4　71.1　66.5

縦のコミュニケーション　　横のコミュニケーション　　総合設問

■ 期待通りの成果が出ている（n=61）
□ ほぼ期待通りの成果が出ている（n=81）
■ あまり期待通りの成果が出ていない（n=9）

❯ 変化に柔軟な職場

働きがいが高い職場は、日頃から経営・管理者と従業員、職場全体のコミュニケーションが活発で、相互の信頼関係がしっかりとしています。そのため、経営・管理者は何か新しい施策をやろうとした時に「その施策をなぜやるのか」の意図や背景を説明し、従業員の声を拾いながら、運用のチューニングをしていきます。

結果的に多くの新たなチャレンジが上手くいくのです。「働きがいが高い」という会社の土台があってこそ、新しく何かをやっても上手くいく。そのような関係があります。

社内外の大きな環境変化に見舞われたとしても、働きがいが高い職場は、早期に方針を立てて新たな施策を打ち出し、従業員全員で荒波を乗り越えていくでしょう。言い換えると**働きがいが高い職場は、トラブルにも柔軟に対応できる体質なのです**。

さらに、コロナ禍をきっかけに新たな施策を実施し、DXを加速させ、従業員の結束をより強めて、業績まで上げている企業も存在します。ピンチをバネにして正のスパイラルに突入する企業は少なくありません。

次に事例を提示しておきます。コロナ禍の対応で働きがいのスコアを高めた会社とそうでない会社の2例です。感染症の世界的な流行に限らず、今後も突発的な社会変化が起こるリスクは否めません。その時に「自社なら、どう動けるだろうか」、そんなシミュレーションをしながら読むのもおすすめです。

事例14 コロナ禍で始めた「ポッドキャスト番組」の狙い

アメリカン・エキスプレス・インターナショナル, Inc.（大規模部門／金融業、保険業）

　日本における「働きがいのある会社」ランキングで10年以上選出されているアメリカン・エキスプレス。同社が日本で事業を開始したのは1917年で、日本においても100年以上の歴史があるブランドです。

「働きがいのある会社」ランキングの大規模部門において2022年の若手ランキングでは3位、女性ランキングでは2位、2023年の総合ランキングでは4位に選出されています。また、LGBTQA+の従業員の働きがいにも力を入れており、「work with Pride」評価の「GOLD」を受賞しています。

　そんな同社は、2020年3月頃のコロナが蔓延し始めたタイミングで、ほぼ全員の在宅勤務を決定しています。その当時、経営陣はリスクを3つ想定しました。

　1つめは、対面コミュニケーションが減り、従業員と会社の繋がりが希薄化すること。
　2つめは、経営戦略に関する理解が浅くなること。
　3つめは、ひとりで仕事をすることによりメンタル的に辛くなるかもしれないことです。

　これらの3大リスクを解決するために、同社ではポッドキャストによる番組「THIS WEEK」を発信することにしました。経営陣が従業員に一方的なコミュニケーションを取ろうとするのではなく「従業員が苦労していること」や「知りたいと思っていること」「自

分の所属する部署以外で行われている活動」など、多様なテーマを
ミックスして伝える手段になりました。ライブ配信後はイントラ
ネットにアップされるため、いつでも好きな時間に視聴ができます。
従業員は、家事の合間や「ながら時間」などに、さまざまな聴き方
をしているそうです。

　さらに、驚くべきことにポッドキャストの視聴データを分析して
コンテンツに反映までしています。「どのコンテンツが従業員に人
気なのか」「どの部署によく聴かれているのか」「どのような感想が
あったのか」などの把握に努めています。

　従業員全体からは、回答者の98％が「とても満足」もしくは「満
足」というフィードバックがあったそうです。「会社の優先事項や
方向性を知ることができ、有益だった」「会社と一体感を感じるこ
とができる」「自分の所属する部署以外の話も聞けてためになった」
などのコメントも届いているといいます。

　同社は大きな企業です。しかし、従業員一人一人の心にまで気を
配り、「自分は大切にされている」と感じてもらえる会社を目指し
ています。そのツールのひとつとして「ポッドキャスト番組」は上
手く機能しました。

　どのような会社にも、従業員と心を通わせるための最適なツール
が存在するはずです。それをいち早く見つけ、定着、浸透させられ
るか否かが明暗を分けます。

事例15　コロナ禍の苦しい時期に何をしたか、していないか

B社

　コロナ禍で働きがいのスコアを下げてしまったB社の例です。「経営・管理者層が、従業員に重要事項や変化をきちんと伝えているか」「経営・管理者層の期待が明確か」という項目において、特にスコアが落ちていました。また、仕事への誇りの低下も見てとれました。

　「仕事の受発注が物理的に止まった」という業界的な事情が、主な原因かもしれませんが、その事象への対応について経営・管理者から明確な発信がなされなかったことが推察されます。「自分の会社は今後も存続するのだろうか」という不安が回答に強く反映したとも解釈できるでしょう。

　時代の変化にあらがえず、働きがいを下げてしまうこともあるでしょう。しかし、特殊な時期にもかかわらず、働きがいのスコアを上げた企業も存在します。コロナ禍をきっかけに、経営トップが自ら情報発信の頻度を高め、従業員の安全を守ることを優先して、さまざまな働き方やコミュニケーションの取り方について工夫を重ね続けた企業もいくつもあります。

　B社の場合、経営・管理者の姿勢が従業員の不安を助長させ、結果的に仕事の誇りまで低下させてしまったのではないかと推察されます。たとえば「自社はどのように現状を捉えているのか」「どのような方向性で進もうとしているのか」を従業員に明確に、そして繰り返し伝えていれば、職場の働きがいは変わっていたかもしれま

せん。

「経営トップが情報発信の頻度を高めること」に、大きな予算は不要です。小さな企業でも気持ちひとつで即実践できる方策でしょう。知恵を絞れば、現状は打破できるものです。

「従業員の働きがいを低下させない」という強烈な使命感があれば、進むべき道は見えてくるはずです。

1 章のまとめ

1. バブル崩壊からの失われた 30 年の中で、「コミュニケーションの希薄化」「仕事の誇りを感じる機会の減少」などの問題が生じた。結果として、かつては働きがいを感じることのできた「ばりばり職場」が「しょんぼり職場」になってしまった

2. 現代らしい、職場のやる気がなくなるきっかけ
   - 仕事に貢献実感を感じない
   - 心理的安全性が担保されていない

3. 求められるリーダーシップは「強力なカリスマが会社を率いる」から「周囲を巻き込み、行動を促す」に変わった

4. 働きやすさはあっても、やりがいが低い職場「ぬるま湯職場」の問題点は「ぶら下がり社員の増加」と「優秀な人材の流出」

5. 経営・管理者が「やりがい」を下げているポイント
   - 評価基準が曖昧であること
   - 従業員を会社の成果を上げるための道具・手段として扱うこと

6. 「いきいき職場」で、特に注目したい点
   - 変化に対して柔軟である
   - 新しいチャレンジの芽を育む土壌がある

2章

働きたくなる職場が持つ 全員型「働きがいのある会社」 モデル

06 働きがいのある職場の仕組み

07 「リーダーシップ」と 「バリュー（価値観）」が見える職場

08 アイデアが次々に生まれる「イノベーション」の土壌

06 働きがいのある職場の仕組み

あなたの職場の「働きがい度」をチェック

　２章ではさらに深いレベルで職場の本質を考えていきます。キーワードになるのが**「全員型『働きがいのある会社』モデル」**です。そして、「リーダーの在り方」と「価値観の見える職場」、さらに「イノベーティブな職場」についてご紹介します。

　序章でも考えてきましたが、職場とはさまざまな職位や経歴、特性、さらに考え方や価値観が違う多様な人たちでできています。そんな職場でどうすれば従業員全員が働きがいを持てて、協力し合い、仕事に取り組めるのでしょうか。

　そのカギを握る大事な要素は５つ**「信用」「尊重」「公正」「誇り」「連帯感」**です。これらの要素があってはじめて職場内の信頼関係が構築できると、私たち GPTW は考えています。

　職場で信頼関係が築けているか、簡易的に調べるために、次ページの設問に答えてみてください。（GPTW の調査の一例）

〈職場の「働きがい度」簡易版チェック〉

次の5段階評価で、15問に回答します。

```
1   ほとんど常に当てはまらない    2   しばしば当てはまらない
3   時には当てはまらない/時には当てはまる
4   しばしば当てはまる            5   ほとんど常に当てはまる
```

信用
□経営・管理者層の期待していることが明確になっている
□この会社では、従業員は責任ある仕事を任されている
□経営・管理者層は、誠実で倫理的に仕事を行っている

尊重
□私は、この会社において専門性を高めるための研修や能力開発の機会が与えられていると思う
□経営・管理者層は、仕事を進める上で失敗はつきものであると理解している
□この会社の労働環境は、安全で衛生的である

公正
□この会社では、誰にでも特別に認められる機会がある
□この会社の人は、裏工作や他人を誹謗中傷しないように心がけている
□この会社では、従業員は性別に関係なく正当に扱われている

誇り
□私は、この会社に貢献していると思う
□私たちが会社全体で成し遂げている仕事を誇りに思う
□私は、この会社で働いていることを、胸を張って人に言える

連帯感
□この会社の人たちは、お互いに思いやりをもっている
□この会社は、入社した人を歓迎する雰囲気がある
□この会社では、仕事や部門が変わっても、誰でもなじめる雰囲気がある

❷あなたの職場を自己採点

回答したそれぞれの項目（信用・尊重・公正・誇り・連帯感）の平均値を出して、図表 2-1 にかき入れてみましょう。

私たち GPTW では、この 5 つの要素が高い水準であるほど、「職場内の信頼関係が強い」と表現しています。平均値が高い要素、低い要素に着目して、特に高い要素は強みとして伸ばし、低い要素は成長の機会として改善をしていくことが重要です。あなたの職場はいかがでしたか。

私たちは、**信頼の各要素「信用・尊重・誇り・連帯感・公正」が高いレベルにある状態でこそ、「人は潜在能力を最大化できる」**と考えています。前ページの設問文からもわかるように、信頼とは、働く環境や上司との信用関係、仲間との連帯感、仕事への誇りなどにかかわります。それらが高い水準、つまり、働きがいのある状態でパフォーマンスが発揮されるのです。

[図表2-1] 職場の自己採点記入グラフ

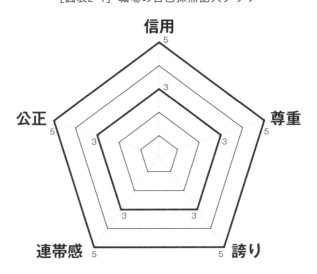

❯ 能力が最大化される条件

能力の発揮について次の質問をいただくことがあります。

「手っ取り早く、研修で能力を高められないのか？」

残念ながら「難しいです」とお答えしています。研修には従業員のスタンスやスキルを改善させる効用はありますが、その人が職場に戻って能力を突然発揮できるわけではありません。

一人一人の能力が発揮される場とは、あくまで「仕事の現場」であり、その発揮度合いは周囲との関係性において異なるからです。たとえば「どの部署も万年人手不足で、休みもろくに取れず、離職率が高い。職場の人は各自の仕事で手いっぱい。だけれども成果を求められている……」。そんな職場にいる人が、いくらよい研修を受けたとしても能力を最大限に発揮することは望めないでしょう。

よくあるのが上司と部下（もしくは経営・管理者と従業員）の関係が歪（いびつ）であるという例です。福利厚生など待遇の面では申し分ないとしても、上司と部下の関係がギクシャクしている場合、部下は精神的に疲弊していき、能力の発揮どころではありません。

あるいは、上司とは関係が良好だけれども、働きやすさが低い場合も持っている力を出し切れるとは考えにくいでしょう。上司に倣って昼夜問わず仕事をするとどんどん疲弊する、睡眠が足りない。そんな中では、能力が最大化されるはずもありません。

つまり、**潜在能力の最大化とは、その人の働きやすさとやりがいの条件が整った上でようやく実現されるもの**なのです。

では、より具体的にはどんな条件が整っていればよいのでしょうか。次の全員型「働きがいのある会社」モデルを見ていきましょう。

全員型「働きがいのある会社」モデル

　ここで職場モデルを紹介して整理したいと思います。働きがいのある会社のベースを「信頼」として据え、あらゆる人の能力が引き出されることを重視しているのが、全員型「働きがいのある会社」モデルです（図表2-2）。

**　信頼はリーダーへの「信用」、従業員への「尊重」や「公正」な扱い、そして仕事への「誇り」と仲間との「連帯感」から成り立ちます。**

　経営・管理者と従業員の間に高いレベルの信頼があり、一人一人の能力が最大限に活かされている。そのような会社は優れたリーダーシップや価値観（バリュー）があり、イノベーションを通じて財務的な成長を果たすことができます。

[図表2-2] 全員型「働きがいのある会社」モデル

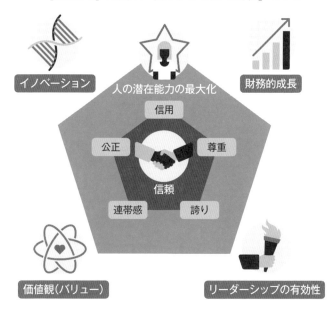

信頼 従業員とマネジメントとの間にある高いレベルの信頼を指します。リーダーへの信用、従業員の尊重や公正な扱い、そして仕事への誇りと仲間との連帯感からなります。

 人の潜在能力の最大化 属性や立場にかかわらず、人の潜在能力を最大化することを指します。一部の限られた人ではなく、あらゆる人の力を引き出す（For All）ことが求められます。

 価値観（バリュー） 会社の価値観（バリュー）を指します。明文化されたものだけではなく、従業員が日常の仕事やリーダーから感じられるものも含みます。（詳細は 108 ページ）

 リーダーシップの有効性 企業のカルチャーをリードし、従業員の共感を呼ぶ有効なリーダーシップを指します。どんな場面においても、一貫した効果的な戦略を描くことが求められます。（詳細は 104 ページ）

 イノベーション 会社が変化に対応し、持続的に成長するためのイノベーションを起こすことができるカルチャーを指します。従業員の知性を刺激し、能力や思いを集結させることでつくられます。（詳細は 114 ページ）

 財務的成長 よいカルチャーから生み出される財務的な成長を指します。中長期的に会社を維持・成長させるためには、ビジョンを明確にし、組織能力を高める必要があります。

職場の信頼関係を見える化、数値改善を目指す

株式会社ディスコ（大規模部門／製造業）

企業の課題を炙り出したり、改善したりするきっかけのひとつとして、自社で開発した ES（従業員満足度）調査を実施するケースがありますが、それだけでは見えてこない職場の問題もあります。「働きがい」という観点で他社と比較することではじめて可視化される課題も多いものです。ここではそんな事例を挙げておきます。

精密加工装置やツールを開発、製造、販売しているディスコの事例です。同社は大半の製品で 7 〜 8 割の世界シェアを誇るグローバル企業として知られています。また早くから組織力の強化にも取り組んでおり、「働きがいのある会社」ランキングには 2009 年から 15 回連続で選出されています。

ディスコは「経営と組織経営の両者を共に追求することで、どんな環境下でも生き残ることができる強い会社を創る」という信念のもと、90 年代から理念経営の考え方を取り入れ、企業としてあるべき姿を明文化した「DISCO VALUES」を社内で共有し「人を大切にした経営」を行ってきました。

ES 調査でも、よい結果を長年出し続けてきたそうです。しかし、働きがいという観点で見ると新しい課題も見えてきました。GPTW による調査を通して見えてきたのは、他社と比べて連帯感の指標に改善の余地があるということでした。そこで連帯感を高めるために同社が参考にしたのが「関係の質を高める」という考え方です。

マサチューセッツ工科大学のダニエル・キム教授が提唱する「成

功の循環図」によると**「同僚と信頼し合える関係性があれば、ディスカッションを通じて生まれる思考の質が高まる」**、そして**「自分たちで考えて自発的に動くことで行動の質も上がり、それが結果の質にも繋がる」**ということが明らかになっています。

　そこで同社は、関係の質を高めるために「信頼関係の見える化」を図りました。社内アンケート調査を部門ごとに実施し、設問の回答に点数を付けることで信頼関係を数値化したのです。設問としては「同じ部門で働く同僚は誠実か」「仕事の能力を認め合っているか」など、信頼の要素を盛り込んだものを用意しました。

　他に「ここ1週間で褒められたことがあるか」「上司または職場の誰かが、自分をひとりの人間として気遣ってくれているか」など、改善策を立てやすいものも加えました。このアンケート調査に全部門の約7割が参加。2011年から継続していく中で、数値も全体的に向上したそうです。

　一方、なかなか改善が見られない部門に関しては、社内の「働きがい推進チーム」が現場に赴き、ヒアリング調査を実施しています。その結果、ある生産拠点では、現状の評価制度で従業員のモチベーションを維持することが難しいと判明。従業員のやる気を引き出す、納得度の高い人事評価制度を新たにつくり、改善へと繋げました。

　同社の事例からは、信頼を構成する要素の中で、どの要素が低いかを認識し、職場の問題をデータで分析する重要性がわかります。職場の問題に気付き、可視化し、共有することで、改善することができる。本事例からそんなことが見えてきます。

07 / 「リーダーシップ」と 「バリュー(価値観)」が見える職場

会社のフェーズで異なる理想のリーダーシップ

　私たち GPTW は、働きがいのある会社の特徴について研究してきました。そのひとつに「経営・管理者が効果的なリーダーシップを発揮し、従業員からの信用を得ている」ことが挙げられます。そうした経営・管理者は、従業員のエンゲージメントを高め、働きがいのある会社をつくることに成功しています。63 ページでも時代の変遷の中で有効なリーダーシップが変化してきていることについて触れましたが、認定・ランキング選出企業であるベストカンパニーとの対話の中でも、**「リーダーシップの発揮の仕方が一様でない」**ことが明らかになっています。

　「自ら率先して動き、周囲を引っ張るリーダー」「メンバーの意見や考えを尊重して、組織の力を巧みに引き出すリーダー」「メンバーに具体的な仕事のやり方を指導し、じっくり育てていくリーダー」など多岐に渡っています。リーダーはそれぞれのやり方で、そのチームにおいてベストなリーダーシップを発揮しているのです。

　どのようなリーダーシップが有効かの判断基準に「組織の成長ステージ」と「メンバーの能力」があると私たちは考えています。たとえば次のようなことは容易に想像つくのではないでしょうか。

　「会社・職場が立ち上げられたばかりで、自ら動けるメンバーは少ない。そんな中、私が先頭に立ち、メンバーを指揮した。これが奏功し、次第に会社・職場では仕事がスムーズに回るようにな

り、メンバーもひとりでに動ける者が増えた。けれども、職場の
円熟に伴い、これまでやっていたやり方では上手くいかない」

❷ ４つの理想のリーダー像

　このように「組織の成長ステージ」と「メンバーの能力」によっ
て適したリーダーシップは変わってくると考えられます。組織の成
長ステージは「立ち上げ・変革期」と「成長期」、メンバーの能力
は「成長過程メンバー」と「一人前メンバー」に分けられます。

　これらを縦軸・横軸にした４象限で、リーダーシップのタイプも
４つに分かれます（図表2-3）。４つのリーダーシップを紹介しまし
ょう。詳細は、次ページでそれぞれお伝えします。

[図表2-3] 組織の成長ステージ・メンバーの能力と４つのリーダー像

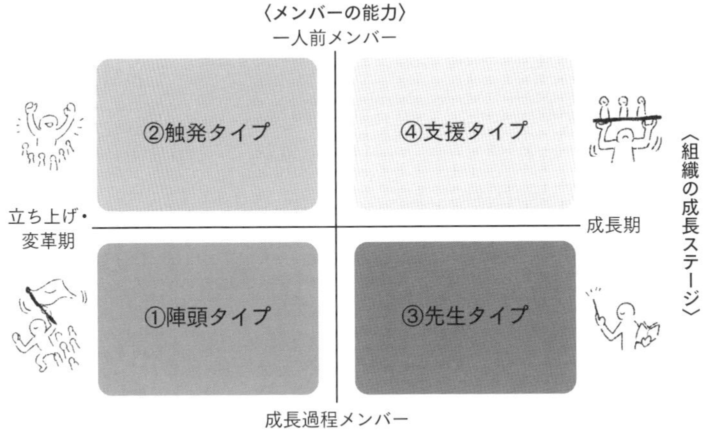

〈メンバーの能力〉
一人前メンバー

②触発タイプ　　　④支援タイプ

立ち上げ・　　　　　　　　　　　　　成長期
変革期

①陣頭タイプ　　　③先生タイプ

〈組織の成長ステージ〉

成長過程メンバー

①陣頭タイプ：組織立ち上げ・変革期 × 成長過程メンバー
②触発タイプ：組織立ち上げ・変革期 × 一人前メンバー
③先生タイプ：組織成長期　　　　　 × 成長過程メンバー
④支援タイプ：組織成長期　　　　　 × 一人前メンバー

①陣頭タイプリーダー
「立ち上げ・変革期」×「成長過程メンバー」

　　　　組織が立ち上げ・変革期にあり、メンバーが成長過程にある場合には、リーダーが率先垂範して動く「陣頭タイプ」が有効です。変化が求められる局面では、メンバーの成長をじっくり気長に待ったり、促したりしている時間はないからです。リーダー自らが先頭に立ち、周囲を巻き込みながら、力強く業務を推進していくことで、事業成長の糸口を見つけることが大事です。

　メンバーは、そうした組織全体の奮闘の中で力強く突き進んでいくリーダーの姿に信頼を寄せるものです。そうしてリーダー自身が切り開いた次なる事業の芽や新しい仕事は、メンバー各自の成長を強く後押しします。メンバーは事業の成長と自らの成長を重ね合わせ、その中から働きがいを見出していくことになります。

②触発タイプリーダー
「立ち上げ・変革期」×「一人前メンバー」

　　　　組織が立ち上げ・変革期にあり、メンバーが一人前として自律している組織においては、「触発タイプリーダー」が有効です。立ち上げ・変革期にあっては、メンバーも、リーダー自身も、何が正解かわからないものです。何を目指すかをはっきりさせて、目指す先を魅力的に語り続けることが求められます。メンバーは、一人一人が持てる力を発揮し、ゴールに向かって模索し続けることができます。

　メンバーは、ビジョンを発信するリーダーに共感を覚えるものです。さらに、メンバー同士が知恵を出し合い、状況を打開しようと試行錯誤を重ねる中から、イノベーションの芽が育っていきます。また、「自分たちの組織を自分たちで育てている」という誇りや自負が働きがいの向上へと繋がっていきます。

③先生タイプリーダー
「成長期」×「成長過程メンバー」

　　　　組織が成長期にあり、メンバーも成長過程にある場合、各メンバーにやり方を教えながら仕事を進めていく「先生タイプ」が有効です。リーダーは、組織の成長のポイントを言語化し、型化・ナレッジ化してどのようなメンバーでも成果を再現できるように整えていくことが求められます。さらに、メンバーの強みや課題を把握して、レベルに合わせながら教えていく姿勢が必須です。メンバーは組織として蓄えられた知識・経験を型として効率よく学ぶことができ、さらにリーダーの懸命な指導に、尊敬の気持ちを抱き、力を発揮できるようになろうと努力を重ねていくことになります。

④支援タイプリーダー
「成長期」×「一人前メンバー」

　　　　組織が成長期にあって、メンバーは十分な力がある場合、最大限に力を発揮できるように環境を整える「支援タイプ」が有効です。リーダーは各メンバーの声に耳を傾け、特性や要望を把握していく姿勢が重要です。その上で、どうすれば各自が能力を最大限に発揮できるかを考え、手を打ち続けることが大切です。

　次第に、メンバーは能力を開花させ、自由な発想で仕事の結果を出していくことでしょう。さらに、仕事環境を与え、信頼して任せてくれるリーダーに感謝し「このリーダーや組織のために、より高い成果を挙げたい」と、ベストを尽くすようになります。

　４つのリーダーのタイプを紹介しましたが、実際の状況は複雑ですので、リーダーは常に状況を見極めながら、調整をかけなければなりません。変化に適応できるリーダーが、メンバーからの信頼を集め、働きがいを高めることができるのです。

職場と従業員がすり合わせておくべき絶対条件

　さまざまな状況下で効果的に発揮されるリーダーシップのタイプを説きましたが、管理職の役割にも触れたいと思います。

　会社にはそれぞれ目標があり、管理職は「会社・職場のありたい姿」「目指すべき目標」「求められる行動」を明文化し、行動で示す必要があります。つまり、会社が掲げる**「ミッション（使命）」「ビジョン（未来像）」「バリュー（価値観）」**を体現するのが仕事だということです。

　特に本項目では、全員型「働きがいのある会社」モデルの尺度にもなっているバリューについて考えていきましょう。

❷ なぜ会社にバリューが必要か

　バリューとは、「従業員に求められる行動指針や判断基準」を言語化したものです。**バリューを率先して示し、社内に浸透させていくのは管理職の役割です。**

　たとえば、ある企業にとって「誠実さ」がバリューである場合、社内外の人との約束事を必ず守ること、相手の立場に立った言動が求められるでしょう。「透明性」がバリューである場合、自分の持ち得る情報を可能な限りオープンに共有し、会社の情報還流を促します。このように管理職の態度や振る舞い、行動がバリューと一致していることが重要です。

　ある企業では、バリューについての冊子を配っているところもあります。**バリューとはその会社に所属する従業員として大切にした**

い価値観そのもの。全員に浸透していることが望ましいからです。冊子を読むことで従業員は「守るべきことは何か」「自分たちの仕事とは何か」を深く思考し、体現できるようになります。もちろん新入社員には入社した最初の段階で配られますし、時には内定者に配られることもあります。職場にいる全員にバリューを理解、徹底してもらうことがそれほど肝要だからです。

　管理職が従業員にバリューを示すからこそ、会社の「世の中に対しての姿勢」に従業員は共感して、「行動指針や判断基準」を心得て仕事をすることができるのです。

❯ 全ての人にとって働きがいのある会社は存在するのか
　管理職は、従業員にバリューを浸透させる役割を担いますが、そのバリューは万人にも共感できるものなのでしょうか。必ずしもそうではないと考えています。

　万人に共感できるものである必要はありませんが、**「会社が大切にしている価値観（バリュー）と、そこで働く人の価値観が上手く合致している」**、これが絶対条件です。もちろん、「完全に合致」することは難しいため、お互いに共感できる部分が大きいこと、重なりが大きいことが大切です。

　ベストカンパニーに選ばれるような働きがいのある会社は、バリューを明確にして、あらゆるコミュニケーションの方法で浸透させています。もちろん採用時においてもそれは同じことです。応募者が自社の価値観にそっているかどうかを慎重に見極めています。

❷職場の価値観に無理に合わせた従業員に起こったこと

　会社の価値観（バリュー）と、従業員の価値観が合致することが大事と言いましたが、なぜでしょうか。ここでは、従業員が無理に職場の価値観に合わせた場合、どのような歪みが生じるかを見ていきましょう。

　給料・ボーナスや福利厚生などの諸条件のよさから、会社の価値観（バリュー）や風土に何となくの違和感がありながらも入社したNさん。Nさんは、仕事のモチベーションが上がらず、職場ではどこか浮いたような存在。それもそのはず、職場の従業員は価値観（バリュー）にそった行動基準で仕事をしていますが、Nさんはそれに共感し切れていないからです。

　時間が経つにつれ、小さな違和感は、だんだんと膨らみ「なぜこの仕事をしているんだっけ」と考えるようになります。仕事に身が入らなくなったり、ミスを頻発したりするようになります。Nさんは最終的に退職する結果になりました。次の転職先を考える際は給料や福利厚生よりも、価値観に重きを置いたといいます。

　Nさんがストレスがありながら働き続けていたことも、退職という結果も、Nさんと職場、双方にとって不幸なことです。

　どうすればよかったのでしょう。それは、**採用の段階から価値観の合致を見極めることが大切**だったのです。どれほど大事かというと、スキル面では優秀な人材だったとしても、価値観の不一致によって不採用にするベストカンパニーも少なくないほどです。

❥採用でここまでする、ある企業の例

　価値観の合致の重要性をお伝えするために採用段階で尽力するベストカンパニー iYell（80 ページ）を紹介します。

　iYell では、価値観の合う人材を見つけることを狙いとして採用サイトを新しく開設。就活生や転職希望者は、採用エントリーをする時、何問かの選択式質問に回答し、価値観に共感できる場合しかエントリーできない仕組みになっています。つまり、エントリー前に価値観のミスマッチをできるだけなくすようにしているのです。

　他の企業では、会社説明会の多くの時間を自社の価値観や企業文化（カルチャー）の説明に費やしたり、選考の段階で「自分のキャリアプラン」や「将来の夢」のプレゼンを課したり、最終面接を合宿形式で行い、寝食を一日共にすることで、会社との相性を確認したりする企業もあります。さらに、人事部だけではなく現場の従業員が総出で採用にかかわることで、自社が大事にする価値観を全員で確認する機会とする企業も増えています。

　このように**ベストカンパニーは、自社の価値観を明確にして、特に採用場面でのすり合わせ、見極めを重視しています。採用後も、育成や教育、制度にまで一貫して価値観を浸透させています。**

　さて、あなたの会社の価値観（バリュー）はどのようなものでしょうか。採用や教育、制度にまで、自社の一貫した価値観を感じますか。採用について詳細は 228 ページを参考にしてみてください。次ページに、ユニークな採用基準を持つ企業の事例をご紹介します。

採用から入社に至るまで、徹底的に会社の魅力を伝える

バリューマネジメント株式会社（中規模部門／サービス業［他に分類されないもの］）

2023年版「働きがいのある会社」ランキング中規模部門に見事選出されたバリューマネジメント。税金や寄付金、ボランティアなどで維持されている歴史的な建物などを利活用して収益化する事業を展開しています。同社の事業の柱は、施設再生のコンサルティングです。従業員は、ビジネスパートナーはもとより、現地に暮らす人や歴史に詳しい専門家などとかかわります。多様な価値観を持つ人とコミュニケーションを取りながら、プロジェクトを牽引（けんいん）する力を従業員は問われます。そんな同社の採用のポイントがユニークです。

代表取締役社長の他力野淳氏は、採用の決め手を「グッドパーソン」であることと発信しています。「客観的に見て正しい行いができる "いい人"（善人、善良な人）」という意味です。
「知識やスキルよりも、人間性を重視したほうがよい」というのが他力野社長の持論です。
「知識やスキルは後からいくらでも身に付けることができます。しかし、その人がそれまで育んできた人間性は、一朝一夕には変えられません。たとえば素直で真面目で一生懸命頑張っている人は、それだけで信頼されるし、仲間として受け入れられやすいはず。"人柄"は最高の素質です」

このように会社側の考えを社内外に発信しておけば、それに共鳴する人材が集まってきます。そのため、入社後に価値観のギャップを訴える従業員はほぼいないようです。価値観を社内外に可視化して発信し続けることが重要だということを教えてくれます。

❷同じような人が集まる職場にならないのか

　職場の価値観に合う人を採用する話をすると、よくいただく質問があります。

「結果的に同質な人ばかりが集まってしまい、会社全体が硬直化してイノベーションが起こりづらくなってしまわないか」

　という質問です。

　その点の危惧は理解できますが、問題ないと考えています。なぜなら、価値観が同じ人を採用するというのは、人種・性別・年齢・性格・能力・経歴・趣味・嗜好などまで、同じ人を採用することではないからです。

　むしろこれらは多様であるのが望ましいです。多様であればあるほど、総体としての会社は、より"多彩な集団"になれるでしょう。

　そのような企業がアウトプットとして生み出すものは、より幅広く、深いものになり、イノベーションが起こる土壌になるでしょう。あらゆる属性の従業員が集まる、つまり、多様な視点が加わることで「何が人を喜ばせるか」「何が人を傷付けてしまうか」など、人の機微に敏感になれるからです。

　多様な人がいることで生まれる「イノベーション」について、次の項目でお話しいたします。

08 / アイデアが次々に生まれる 「イノベーション」の土壌

多様な人がいる職場だからこそ生まれるイノベーション

イノベーションの観点においては、共通の価値観を持つ、多様な人が集まる職場にするのが理想です。本項目では、全員型「働きがいのある会社」モデルのイノベーションについて解説します。

　多様な人材が集う職場をつくる。言うのは易し、実際に多様な人が集まる職場の働きがいを高めるのは簡単ではありません。たとえば 20 〜 60 代と年齢が幅広く、属性も職位もバックボーンもバラバラである従業員が在籍する職場では、全員が働きやすく、かつ、やりがいがある職場にするのは、容易ではないでしょう。

　なぜなら、多様な人材がいるということは、体力も、家族構成も、興味の対象も、人生観も、労働観も……、皆バラバラ。そんな中で、たとえばフルリモートを開始して働きやすさを追求したとします。すると、業務に習熟しているベテランや子どもがいる従業員は働きやすさに繋がるかもしれませんが、若手や中途入社者は仕事で困った時にすぐに質問ができず、悶々としてしまうでしょうし、PC に不慣れな人は作業が行き詰まり兼ねません。

　一方で、属性が比較的単一な従業員が在籍する職場を考えてみましょう。極端な例を挙げると 30 代男性ばかりである職場の場合、経営・管理者は 30 代男性が働きやすく、やりがいのある職場環境をつくればいいわけです。

　それでもあえて多様な人が集まる職場をつくることに、それだけのメリットはあるのでしょうか。

❥ 多様な職場だからこそ生まれる「違和感」

　イノベーションの元となるのは「違和感」です。立場や視点が多様な場合、物事を進めていく中でも、職場で働いていく中でも、違和感を抱く人が必ずと言っていいほど現れます。

　その**違和感が発展の芽になる**のです。多様な立場や視点であるからこそ、職場や顧客への接点で生じる「不」にもバリエーションが生まれます。「不」とは、「ネガティブな違和感」のことです。ここでは「不安」「不満」「不足」「不利益」などの総称を言います。

　身近な例では「オフィスの使い勝手が悪い」と思ったら、使い勝手をよくする案が多様な人材がいる職場ではバリエーション多く出てくると予想できます。解決したらその分、職場環境はひとつよくなることになります。

　オフィスの使い勝手を例にしましたが、これがたとえば「ECサイトの不便さ」や「商品の味」や「広告の打ち出し方」などでも当てはまるのではないでしょうか。「不」が多く見つかり、どんどん改善されるとイノベーションに繋がるのです。

　もちろん、イノベーションを起こすにはただ単に多様性があるだけではなく、全員型「働きがいのある会社」モデルの各要素が発揮されていることが重要です。また、多様な職場だからこそ従業員に求められる姿勢があります。**「自律」**と**「共創」**がそれです。自律とは、自分で考え、判断し行動できること。共創とは、人と人との繋がりの中で新しいものを生み出していくことです。この**自律と共創が掛け算され、さらにチャレンジングな状態であることこそ、「イノベーティブな職場」**だと私は定義しています。

　次ページで、そんなイノベーティブな職場の事例を紹介します。

成長イノベーションを生む "挑戦"を歓迎する文化

株式会社キュービック（中規模部門／情報通信業）

2018年から6年連続で「働きがいのある会社」ランキングに選出されているキュービック。同社はデジタルマーケティングをメイン事業としており、中でも特定のジャンルに絞った専門的で独自性の高いメディアの構築が得意です。同社がイノベーティブな企業として知られているのは、「ボトムアップの取り組みが始まりやすい」という点にあります。

たとえば商品やサービスの情報比較に特化したあるサイトは、リリースしてからわずか数ヶ月で驚異的な売上の伸びを見せ、事業収益の柱になるほどです。この事業の始まりは新卒2年目の若手従業員と代表取締役社長の世一英仁氏が行なったSlack上でのラフなやりとりからだったのです。「こういうことやりたいんですけど、検討してもいいですか」「いいんじゃない？」、それだけだったと言います。

また、SNS配信から生まれ、実写化までされたあるドラマは、若年層を中心に大きな共感を呼び話題となりました。もとは「専門分野に特化したメディアを成長させるために面白い動画をつくって」とプランナーに依頼したことが発端でできた作品だと言います。このコンテンツも大きな事業の柱となりました。

「社員発のコンテンツがブレイクした要因は3つある」と世一社長は分析します。

1つめは「オープンな文化」。同社は経営情報を精緻に共有しています。たとえば経営会議は基本的に全社員、場合によっては内定者、一部のインターンも含めてZoomで視聴できるようにしています。また、1週間／1ヶ月／3ヶ月／半年ごとに全社ミーティングを実

施し、業績報告とその要因、今後の戦略、その他重要トピックスなどをメンバーで共有。全社の現状や部署ごとの活動を理解することで、全社で課題解決に取り組んでいけるようにしています。

2つめは「コラボレーションが生まれやすい土壌」。同社は、ななめの関係（上司・部下の関係ではなく、同僚や他部署との関係）づくりを重視しています。例としては雇用形態を問わず、全ての社員が配属チームとは別のコミュニティに所属します。キュービックではこれを「FAM（社内家族）」と呼んでおり、家長と長男・長女などが設定され、さまざまな活動を行なっています。歓迎会や仕事終わりのスポーツ、中には「聖地めぐり」というテーマで、昔のオフィスの見学に行ったりしている FAM もあります。エンジニアと営業、ディレクターと経理など職種が異なるななめの関係が、新しいコラボレーションを促しているのでしょう。

3つめは「挑戦を奨励する文化」。同社のミッションは「インサイトに挑み、ヒトにたしかな前進を。」です。ミッションの実現に向けて、日々何を意識して行動すべきかを明確にしている4つのクレド（経営理念を具体的にした信条や行動指針）を打ち出しています。
「Dive into Insights―本質を追求しよう―」「Brave Heart―ワイルドにいこう―」「Team CUEBiC―チームでやろう―」「Act with Pride―プロフェッショナルであろう―」
特に「Brave Heart―ワイルドにいこう―」は、積極的な挑戦や批判を恐れず、失敗を歓迎することを促すものです。このクレドが会社に定着することで、挑戦を奨励する文化が生まれ、イノベーションへと繋がっています。
次の3章ではいよいよ、働きがいをつくるポイントについての話を具体的に進めていきます。

[2] 章のまとめ

....

1. 職場の「信頼」は、リーダーへの「信用」、従業員への「尊重」「公正」な扱い、そして仕事への「誇り」と仲間との「連帯感」からなる

---

2. 経営・管理者と従業員の間に高いレベルの信頼があると、一人一人の能力が最大限に生かされる。そのような企業は優れた価値観（バリュー）やリーダーシップがあり、イノベーションを通じて財務的な成長を果たすことができる

---

3. 求められるリーダーシップには「職場のフェーズ」「メンバーの成長ステージ」によって4つのタイプがある
   ①陣頭タイプリーダー　　②触発タイプリーダー
   ③先生タイプリーダー　　④支援タイプリーダー

---

4. バリューとは、その会社に所属する従業員として大切にしたい価値観のこと。明文化し、行動で示し、従業員に浸透させることが大事

---

5. イノベーションが起こる土壌が整っている職場とは、共通の価値観を持つ、多様な人が集まる職場であること。さらに従業員には「自律」と「共創」があり、挑戦が奨励されていること

3章

働きたくなる職場の
つくり方

09 職場・個人の働きがいマインドセット
10 職場でつくれる働きがい〈5つのポイント〉

09 / 職場・個人の 働きがいマインドセット

働きがいをつくるのは職場か、個人か

　働きがいをつくるポイントを本章で紹介します。その前に働きがいは「職場でつくるものか」「個人でつくるものか」という疑問について考えを深めておきましょう。結論から言うと、二元論に留まらず、職場と個人の両方で働きがいを高める姿勢が大事です。

❯かつての職場は働きがいが身近だった

　働きがいをどのように見つけていくのかは、個人の特性だけでなく世代によっても異なります。1章で解説したように、バブル期およびそれ以前の高度経済成長期の職場では、やりがいを中心とした働きがいを見出せている人は多かったものです。

　なぜなら、職場全体が一丸となっていて目指すものが明確であり、従業員の関係はより親密で、十分なコミュニケーションが取れていたからです。部下は上司から仕事の成功・失敗体験やこだわりを聞き、公私の隔てなく一緒に過ごしたりするうちに、やりがいを自覚できるようになっていたのです。

　もちろん、その時代のやり方を全て是と言うわけではなく、時節柄、コミュニケーションのひとつとして効果を発揮していたことを意味しています。

　さて、現代はどうでしょう。
　仕事の明確な正解は見えず、やるべきことが山積しているという

職場も多いでしょう。余裕がなく、上司と部下のコミュニケーションは最低限で一体感・連帯感が生まれにくい。職場の誰かが自身の仕事を熱く語ることなどほとんどなく、またはそういう人がいてもシラケて見られてしまう……。

つまり、**現代は働きがい、特にやりがいを感じる場面が昔より減っている**のです。

◉働きがいを自力で見つけた人

一方、成功体験がある経営・管理者ほど**「自分が働きがいを高められたやり方で、従業員にも促そう」「働きがいは自分で見つけるものだ」**と捉えがちです。

たとえば創業社長は、「熱中できること、すべき仕事を見つけて、自力で新たなビジネスを立ち上げ、従業員を募り、会社を拡大し……」という「やりたいこと（WILL）」と「できること（CAN）」と「やるべきこと（MUST）」が完全に重なっているような人でしょう。そのため、「目の前の仕事に没頭すれば働きがいは自ずとついてくる」という認識が強くあっても不思議ではありません。

しかし、時代や外部環境、一人一人の価値観や資質などは同じではないため、現代においては**「会社が主導して、みんなで働きがいをつくる」**という感覚を持つことを推奨します。

そこで、職場でできる働きがいを高める5つのポイントを126ページから解説していきます。次の項目では、自分の働きがいに気が付く方法を紹介します。

自分の働きやすさとやりがいを見つけよう

　従業員個人でも自身の働きがいを見つめ直すことが大事です。日本では、自身の働きがいに気付かないままキャリアを重ねる人が欧米よりも多いようです。しかし、自身の働きがいに自覚的のほうが、モチベーションが高く、仕事を楽しく思える働き方ができるのは確かです。早期に把握することをおすすめします。

❷ 外発的か、内発的か、自分の働く動機を確認

　まずは、自分の仕事をする動機を思い起こすことから始めます。
　職場で働く動機が「他の職場と比べて高年収で条件がいい」「会社の評判が高く世間体がいい」……。このような金銭や名誉という理由が動機となっているケースを**「外発的動機付け」**と呼びます。ただし、外発的動機付けに突き動かされて働いても、モチベーションは長続きしにくいものです。

　一方、「仕事内容が自分にぴったり」「"使命"だと思える」「人の役に立っていると感じられる」……。このような、心の奥底から湧き上がる思いが動機となっているケースを**「内発的動機付け」**と呼びます。長期的に見るとモチベーションが高く、長続きしやすいのが特徴です。

　人は、内発的動機付けで働いていることが理想です。報酬や昇進だけを目標として働いている場合（外発的動機付け）、それらを手に入れた途端、意欲を喪失してしまうこともあるからです。
　ただし、若い時から内発的動機付けに突き動かされて働いている人は多くないものです。最初は「給料がいいから」など外発的動機付けが強かったのに、いつしか「本気で楽しめるようになってきた」

と内発的動機付けのほうが優位になっていることもあります。

　始めのうちは、働く動機がどちらにあるのか、見極めが付きにくいこともあります。また、２種類の動機が混ざっていることもあります。自分が働く根源的な理由を暫定解でもよいので見つけましょう。その方法を紹介します。

❷「自分らしさ」を見つめ直す２つの方法

　見つけ方は２つです。

　１つが**「喜怒哀楽の書き起こし」**です。どんな時に嬉しかったか、怒りを感じたか、悲しかったか、楽しかったかという感情が湧き起こった場面を思い出しましょう。その人、固有の価値観が見えてきます。

　もう１つが**「モチベーションの推移曲線」**です。時間を軸にどのような状況でモチベーションが上下したか、可視化してみましょう。入社時を０とする場合や、人生観から働き方を振り返るため誕生時を０としてもよいでしょう。曲線が変化するタイミングで、その背景・要因となっている事象を分析すると、それが外発的な要因なのか、内発的なのかがわかってきます。さらに、具体的にどういう仕事内容や環境であればモチベーションを高く保てるのかも見えてきます。

　もっとも、これらの自己診断は始めのうちは難しいので、仲のよい同僚や学生時代の友人など気心の知れた人と一緒に行い、結果をシェアして分析をし合うワークがおすすめです。次ページのように、等身大の自分と向き合い、素朴な感情を見つめてみてください。

〈喜怒哀楽の書き起こし〉

例・31歳男性

喜	怒
・自分の仕事で、誰かに喜んでもらえた時 ・仕事の成果が目に見える形で現れた時	・無理やり意見を押し付けられた時 ・約束を守ってもらえない時
哀	楽
・コミュニケーションを取りながら仕事が進められない時 ・忙しすぎて余裕がない時	・お客様と話をしている時 ・どうしたら上手くいくか頭を悩ませている時

他者分析：

喜怒哀楽の全てに、対人関係に関する記載があるので、人とのコミュニケーション、関係性を最も大切にしていると思う。

特に、誰かの役に立っていると感じられる、貢献実感が持てることがやりがいに繋がっているようである。

一方で「無理やり意見を押し付ける」「約束を守らない」といった不誠実な対応に怒りを感じる点からは、自分を犠牲にしてまで貢献するという類のものではなく、対等な関係性のうえでの貢献を重視しているのではないか。

〈モチベーションの推移曲線〉

例・27歳女性

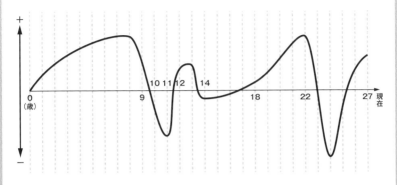

～9歳	幼少期は友達が多くて楽しかった。家族仲もよく、素直に育った
10～11歳	中学受験。勉強が嫌いだったので、親の期待に応えられず、しんどかった
12歳	中学の友達と毎日のように遊ぶ
14歳	部活内の人間関係で少し悩む
18歳	大学に入り、新たなコミュニティができる。アルバイトで社会経験する
22歳	第一志望の会社に受かり、期待を胸に入社する
24歳	長時間労働で成果も出ず、相談できる人が周りにおらず、心を病む
27歳	転職をする。上司や先輩のおかげで成長を実感する

他者分析：

モチベーションが高いのは友人関係や家庭、新しい環境下で楽しい時期を過ごしている時で、低いのは期待に応えられない時や相談できない孤独な時に如実に表れている。

独力で進める仕事よりも、連携して進める仕事に働きがいを見出す印象である。

10／職場でつくれる働きがい〈5つのポイント〉

┃ ポイント① ミッション・ビジョン・バリューの浸透

　経営・管理者には「会社が主導して、みんなで働きがいをつくる」というマインドセットと、従業員個人には働きがいを見つめ直すきっかけを解説しましたが、本節では、実際に職場でつくれる働きがいのポイントを5つ紹介します。

　　①ミッション・ビジョン・バリューの浸透
　　②働きやすさ投資
　　③インクルージョンの担保
　　④やりがいに火を付ける
　　⑤職場カルチャーの明確化

　重要なこの5つを順番に紹介していきます。まずは、「①ミッション・ビジョン・バリューの浸透」から見ていきましょう。

❷ ミッション・ビジョン・バリューとは？

　ミッション・ビジョン・バリュー（MVV）とは会社の使命、目指す姿、行動指針・判断基準の総称です。**全ての企業にとって重要で、働きがいのある会社ほど言語化に努め、オフィシャルに掲げて社内外に浸透させています。**

　同時に従業員を束ねるための重要な役割を果たしています。MVVを明文化することで自社の考えに共感した応募者を採用したり、会社の一体感を高めたりすることができるからです。

108 ページでバリュー（価値観）を押さえましたが、改めて MVV の定義から確認をしておきましょう。

次ページでは、ミッション・ビジョンに近しいものである「経営理念」の事例を紹介します。

ミッション　会社が果たすべき"使命"のこと。ピーター・ドラッカーが「リーダーが初めに行うべきは、自らの組織のミッションを考え抜き、定義すること」と説くほど、重要である。

ビジョン　ミッションを実現するために、将来に向かって"ありたい姿"を描いたもの。企業として実現したい未来像に当たる。ただし、不変的なものではなく社会情勢などの外部環境変化により柔軟に変更していくことが求められる。

バリュー　広く社会に対して"約束すること""従業員に求められる行動指針・判断基準"を言語化したもの。可変的なビジョンとは異なり、基本的な価値観として不変的に掲げられる。

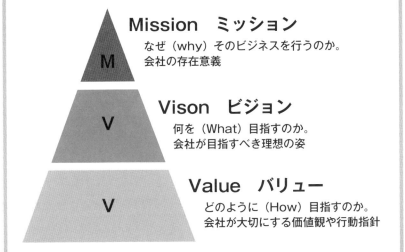

Mission　ミッション
なぜ（why）そのビジネスを行うのか。
会社の存在意義

Vison　ビジョン
何を（What）目指すのか。
会社が目指すべき理想の姿

Value　バリュー
どのように（How）目指すのか。
会社が大切にする価値観や行動指針

紆余曲折を乗り越えて策定した経営理念

株式会社ミクセル（小規模部門／卸売業、小売業）

　2022年度「働きがいのある会社」調査初参画で小規模部門においてランキングに選出され、中国・四国地域における「働きがいのある会社」優秀企業にも選ばれたミクセル。広島県に本社を置き、医科学分野の研究支援事業と介護ヘルスケア事業を展開する企業です。

　「一人一人が"経営理念"にそった行動を続ければ、働きがいは高まり、自ずと業績まで上がる」

　そう語るのは代表取締役社長、島幸司氏。しかし、島社長が理念を会社に浸透させるまでには紆余曲折がありました。

　そもそも島社長が同社を設立した当時は、経営理念は明文化されてはいませんでした。理化学機器の販売を主な事業としていましたが「モノ売りという感覚でしかなかった」と島社長は述懐します。しかし、創業3年目に大事な人をガンで失った島社長の心に、大きな変化が起こります。単なる「モノを売る企業」ではなく「科学技術の発展と普及を使命とする研究支援企業」という位置付けで会社を捉えるようになったのです。

　そこまで大きく視点を変えることができたのは、島社長のそれまでの人生経験が大きく影響しています。

　「医療現場に近いところで働いていたので、『あの先生の研究が実っていたらガンを治せたかもしれない』と何度も悔しい思いをしたものです」

　それから島社長は「人々の健康な日々と大切な人の笑顔の為に自

らの心と力を磨き、新しい価値づくりに挑み続ける」という経営理念を掲げるようになります。また、ビジョンの策定にも踏み切ります。「研究成果と社会の架け橋へ」と明文化し、従業員に共有しました。

　残念ながらこの経営理念とビジョンに共感することなく去っていった従業員は何人かいました。そして、今のような理念経営に行きつくまでには10年以上もかかっています。

　もちろん、島社長は経営理念をお題目のように唱えていただけではありません。従業員が「自分ごと化」してくれるように、「経営理念を意識する機会」を数多く提供してきました。たとえば「日替わり社長」という、社長の代わりに従業員が朝礼でスピーチをする施策を実施しています。経営理念に基づいたスピーチをしてもらうため、従業員は当然、理念にそった言動を意識するようになります。

　このような「理念を浸透させるための施策」を続けると、やがて「経営理念に基づく行動をすることで業績も上がる」と従業員が気付いてくれます。同社に限らず、会社の経営理念には「社会に与える価値」が明示されているものです。「社会に価値を与える企業」が評価されないはずがありません。また自分たちが社会に価値を与えている実感があるから、従業員の働きがいは上がります。業績も自ずとアップします。

　また、島社長は「私の経営者仲間にも経営理念が浸透せず、挫折する人が多い」と指摘をしています。実際、従業員から「うちの会社の理念なんて理想論だ」などという批判が続くと、経営者の心は削られ、理念は消失し「理想も理念もない普通の会社」に落ち着いてしまいます。「共感を得られるまで続けることが理念経営のカギ」という島社長の言葉には、重みがあります。

働きたくなる職場のつくり方

❷MVVをどうやってつくり、浸透させるか

　実際にMVVをどのようにつくり、職場で浸透させるか。5つの
ステップをご紹介します。

〈1〉現在の場所を確認し、ありたい姿を描く

　創業年数や規模、業態にかかわらず、スタート地点は"今"です。
まずは「今の職場の状況」「他社と違いを生み出している自社らし
さ」を確認しましょう。職場で「暗黙的に合意されていること」「機
能している要因や疎外要因」など、率直に意見を出し合います。そ
うした材料からありたい姿を描いてみましょう。

　経営・管理者は従業員と語り合う機会をつくり、年齢、役職、勤
続年数、仕事の内容にかかわらず、多様な従業員の声に耳を傾ける
とよいでしょう。たとえば、合宿などオフィスを離れた環境でじっ
くり考えることをおすすめします。

〈2〉求められる行動を明確にする

　職場で「従業員にどのような経験をしてほしいか」「顧客からど
のような評価を得たいか」「どのような行動が許され、どのような
行動が許されないか」を明確にします。働きがいのある認定企業で
は、従業員の声をもとに行動指針をまとめている企業があります。

〈3〉管理職が率先して示す

　求められる行動を理解して率先して示していくのは管理職の役割。
MVVによってどのような企業目標を達成していくのか、行動で示し、
周囲への影響力を発揮します。

〈4〉人材マネジメントに組み込み、一貫して実践する

優れた企業は MVV の実践にストーリーがあります。それらは、「採用」「能力開発の機会」「昇進の決定」など、人材マネジメントに反映されています。

会社は何を評価し、注目し、称賛するかを明確にしており、その姿勢は一貫していることが大切です。

〈5〉浸透施策を継続し、浸透度合いを確認する

会社の隅々まで、MVV を浸透していくための施策を実行し、従業員の理解度を定期的に確認することが重要です。浸透しているかを確認するのは、直接、従業員の声を聞いてみるのがよいでしょう。アンケートなどのツールも有効です。

MVV の内容のアップデートも必要でしょう。特にビジョンは環境の変化に伴い定期的に変更していく企業もあります。

❯MVVの浸透、3つのフェーズ

基本的に、浸透には「認識」「納得・共感」「行動に反映」と3つのフェーズがあると言われています。図表 3-1 を参考にしてみてください。

[図表3-1] ミッション・ビジョン・バリューの組織浸透プロセス

認識する	納得・共感する	行動に反映する
・言葉を覚えたり、事例が言えるレベル	・自分の言葉で表現でき、自分なりの解釈を行うことができるレベル	・自分の職務において適切な行動ができるレベル

❷会社の隅々まで浸透させる効果

　MVVの浸透は会社にポジティブな効果をもたらします。共有・共感する行動規範があるので、従業員にルールを押し付けたり、管理職が細かく管理したりする必要がなくなります。その結果、**従業員は自主性のある働き方になり、満足度が高く、働きがいが生まれる**のです。

　私たちGPTW Japanが認定している働きがいのある会社でも、認定されていない企業に比べて「従業員の自律性が高い」と回答した企業の割合が多くなっています（図表3-2）。それらの企業に「自律的に働く従業員を増やす施策」を聞いたところ、最も多い回答は「会社のMVVの共有と浸透」だったのです（図表3-3）。自律的な従業員を増やすためにも、MVVに注目してみてください。

　働きがいのある会社は、おしなべてMVVの浸透を徹底しています。それは会社と従業員のミスマッチに気付いた時のアクションに表れます。欧米や外資系の企業などでは**「ミッションやビジョンに共感できなかったり、バリューとそぐわない従業員は、会社から出てもらうこと（自ら出ていくこと）」**は、当たり前に起きています。

　厳しく聞こえるかもしれませんが、それもそのはずです。MVVに共感していないというのは会社のミッション（使命）やビジョン（未来像）に共感していなかったり、バリュー（行動指針・判断基準）にそわない行動を取っているということです。会社の思い描く未来と外れている従業員をそのままにしてはいけません。**「会社と従業員のミスマッチは早くに見つけて対話を重ねて解消する。それが双方にとって利があること」**という原則を理解しておいてください。

[図表3-2] 働きがい認定企業・不認定企業別、従業員自律度

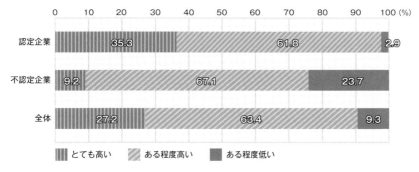

質問：従業員の自律性はどの程度ですか。（単一回答）

認定企業　35.3　61.8　2.9
不認定企業　9.2　67.1　23.7
全体　27.2　63.4　9.3

とても高い　ある程度高い　ある程度低い

[図表3-3] 従業員の自律度を高めることに繋がっている施策

質問：従業員の自律性について「とても高い」「ある程度高い」と回答した企業にお聞きします。貴社が行っている施策で従業員の自律性を高めることに繋がっていると考えられるものを選んでください。（選択肢から3つまで）

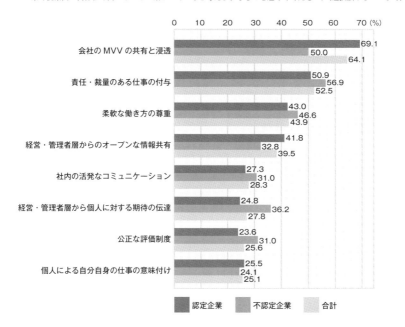

会社の MVV の共有と浸透　69.1　50.0　64.1
責任・裁量のある仕事の付与　50.9　56.9　52.5
柔軟な働き方の尊重　43.0　46.6　43.9
経営・管理者層からのオープンな情報共有　41.8　32.8　39.5
社内の活発なコミュニケーション　27.3　31.0　28.3
経営・管理者層から個人に対する期待の伝達　24.8　36.2　27.8
公正な評価制度　23.6　31.0　25.6
個人による自分自身の仕事の意味付け　25.5　24.1　25.1

認定企業　不認定企業　合計

関連資料：2022 年版調査全体傾向レポート

ポイント②　働きやすさ投資

　職場でつくれる働きがいのポイントの2つめ、「働きやすさ投資」について見ていきます。まずは「働きやすさが高い職場」とはどのようなものか、根本に立ち返って確認しておきましょう。

　全員型「働きがいのある会社」モデルの、次のような「尊重」の要素が高いレベルであることが、働きやすい職場だと言えます。

1. 経営・管理者は従業員の提案・意見を聞いている
2. 安心して働ける環境がある
3. 働く環境の設備が整っている
4. 休暇が取りやすい
5. ワークライフバランスが奨励されている

　まずは、心理面での働きやすさを引き出す1について解説します。

❷経営・管理者と従業員のコミュニケーション構築

　経営・管理者と従業員のコミュニケーションを意識的に取る職場が近年増えています。コミュニケーションが多いほど、心理的安全性が担保されて「率直な気持ちを伝えられる」という雰囲気が醸成されていきます。そのような職場ほど、働きがいのスコアも高くなっています。

　なぜかというと職場での仕事の進め方や方向性について**「上層部が全て決めるのではなく、自分たち従業員の意見を聞いて、取り入れてくれる」という実感があると、仕事がより高いレベルで「自分ごと化」される**からです。さらに職場全体の問題によりコミットす

るようになります。このような好循環が生まれているからでしょう。

❯ 働きやすさ投資とリターンの見込み

次に2〜5について、従業員の働く環境を向上させるために経営・管理者はどこまで力を注ぐべきでしょうか。言い換えると、限られた予算の中で、どれだけ職場に投資すれば働きやすさを向上させられるでしょうか。また、働きやすさ投資で業績アップを望めるでしょうか。このあたりの問題を掘り下げていきましょう。

働きやすさ投資は、従業員の働きがいを担保するためには必須のものです。しかし、投資の額と従業員の働きがいは必ずしも比例関係にあるわけではありません。働きやすさの解説（29ページ）でも説明したように、ある程度まで高められると、それ以上は「既得権益化」してしまい（ありがたみが薄れてしまい）、やりがいの向上には寄与しにくいからです。

環境のよさと従業員のアウトプットの間には、必ずしも相関関係があるとは言えないのです。もちろん、環境を整えることは大事です。従業員の意欲がどんなに高くても、最低限の環境がない場合、モチベーションが維持されません。経営・管理者は「やみくもに投資すればよいわけではない」という点をまず理解してください。

❯ 働きやすさ投資はどの程度、どこにすべきか

働きやすさ投資はどの程度まで行えばいいのでしょうか。働きやすさは衛生要因にあたるため、**一定レベル「従業員が不快にならないライン」が目安になる**でしょう。たとえば「オフィスが快適である」「パソコンの処理速度に問題がない」「適切に休みが取れて、ワークライフバランスが保たれている」などです。

一定レベルに至っていない場合、やりがいをどれほど伝えても従業員は疲弊してしまう「やりがい搾取職場」になり兼ねません。一定レベルを超えるまでしっかりと働きやすさ投資をしておけば、従業員は健全に働くことができます。また、生産性を向上させるための活動にドライブがかかる"ベース"が整います。ただし、あくまでベースが整うという話ですので、チャレンジングでイノベーティブな職場になっていくかは次の段階の問題です。

　ここまで見てきたように、働きやすさにおいてどこに投資をするかを誤ってはいけない点にご注意ください。限られた予算の中から働きやすさ投資をするわけですから吟味すべきです。

　たとえば「健康増進のため、始業前のジョギングを習慣化している。ついては会社にシャワールームをつくってほしい」。このような声が上がったとします。シャワールームが職場に新設されることで恩恵を受ける人は全体の何割でしょうか。もし1割だと残りの従業員から不公平の声が上がる恐れがあります。
　投資対象を選定する際は、原則として「最大多数の最大幸福」（イギリスの哲学者・法学者、ジェレミー・ベンサムの言葉）を基準にするとよいでしょう。

　なお、特定の属性における働きやすさを徹底的に高めることで、自社は働きやすさにこだわっているという認知を高めていくという戦略もあり得ます。授乳中の女性に対してオフィスの中に授乳室をつくり、搾乳した母乳を冷凍できる冷凍庫を完備している企業があります。これは授乳中の女性という非常に限られたターゲットに対する働きやすさの向上ですが、その施策自体、自社で働く女性に加えて、求職者の女性にまで「女性の働きやすさ」を訴求することに

繋がります。

　何にこだわって、何をリターンとして得たいがために働きやすさに投資をするのか、従業員に対する会社の考え方が表れる場面です。

❸ 働きやすい職場に求められる自律性

　経営・管理者は働きやすさ投資をして従業員に働きがいを促します。一方、従業員は職場環境に甘んじることなく、仕事や職場にコミットすることが求められます。そのためには従業員は自律的であることが大切なのです。

　まずは、自律性が高い人とはどのような人か考えてみましょう。身近な例で言うと「リモートワーク中、上司や同僚の監視の目がないから、ついサボりたくなるけれども、自らを律してしっかりと働く」ということが想定されます。

　さらに、次のようなニュアンスを付け加えてみてください。「とはいえ、自分の体調の悪さに気付いたら、その日は昼寝を1時間とってもいい。とにかく、質を落とさず最終的なアウトプットを出せるのならば、2時間寝てもいい」。これが本当の意味で「自律性が高い人」ではないでしょうか。

　つまり、**会社と約束をした成果を出すために、自分のパフォーマンスを最大限に引き出す働き方を主体的に選択することができる人のことを、自律性がある人**と呼ぶのだと思います。

　誰しも自分の裁量が大きいほうが、仕事はしやすくなるものです。もちろん、そこに責任はついてきますが、「自分の裁量で仕事のペース配分を決め、目標を達成したあとの充実感」は何物にも代えがたいことでしょう。また、そこで人は成長することができます。

❷働き方を自由にした「リモートワーク」

働きやすさにかかわる手段のひとつ「リモートワーク」を考えていきましょう。

コロナ禍による影響で働く人たちの間に大きなライフシフトが起こりました。リモートワークの浸透で働き方を見つめ直す時間を経て、人生をより充実させるような計画・目標を立てた人も多いようです。たとえば「沖縄と東京の二拠点生活でダイビングを楽しみながらリモートワークで働き続けたい」「地方都市に移住して自然の中で子育てをしながら、リモートワークで働き続けたい」などです。

コロナ禍以前は、そのような発想をするビジネスパーソンはごく少数派でした。生き方も含めて、働き方に多くの選択肢が増えたことは、ある意味、素晴らしいことと言えます。

「職場はオフィス」という固定観念が覆されたこと、また、DX が一気に進んだことは、コロナ禍における"怪我の功名"だったかもしれません。

「リモートワークで無駄が排除され、業務が合理化・効率化された」と捉える人が多いように、確かに働きやすさが格段に高まったように思えます。一方、どの程度までリモートワークに切り替えるかは、業界、業種、組織の価値観などによって千差万別です。

❷「ワークライフバランスが向上した」と感じる人が約6割

ここで、GPTW Japan が 2020 年 6 月に、624 人を対象に独自に行ったインターネット調査の結果をご紹介します（図表 3-4）。

対象を詳しく言うと、2020年2月以降に人生初の2週間以上のリモートワーク期間を経験した、従業員数25人以上の企業（サービス職、工場・現場職は除く）に勤める20〜59歳の男女正社員（経営者・役員は除く）624人（男女各312人）です。

　リモートワーク期間中に感じた仕事上の変化について聞いたところ、「増した／どちらかといえば増した」が最も多かったのは、「ワークライフバランス」（58.5％）、2番目に「新しいことや改善にチャレンジする機会」（33.5％）です。逆に「減った／どちらかといえば減った」が多かったのは「従業員同士とのコミュニケーションの取りやすさ」（44.4％）、「上司とのコミュニケーションの取りやすさ」（38.0％）、「社内の連帯感や一体感」（34.4％）でした。

[図表3-4] 初めてリモートワークを経験して感じた仕事上の変化

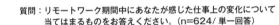

質問：リモートワーク期間中にあなたが感じた仕事上の変化について
当てはまるものをお答えください。（n=624／単一回答）

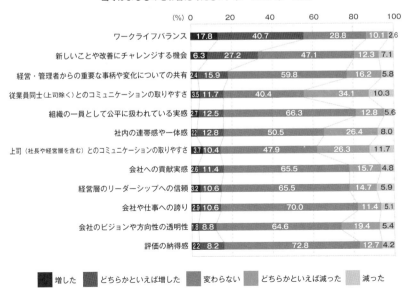

❷リモートワークで低下するもの

リモートワークならではの問題もあります。

挙げられるのが**「チームワークの希薄化」**です。リアルで顔を合わせる機会が減れば、「仲間をフォローしようとする気遣い」や「仲間と協働する楽しみや喜び」「いい意味での競争心」などを感じにくくなっていきます。また、ちょっとした雑談から新しいアイデアが生まれる機会も減少します。繋がりを上手く保つオンラインの施策を増やすなど、何らかの方策が必要です。

リモートワークによる業務の生産性の変化については自身の生産性については「向上した / どちらかといえば向上した」と回答した人が 23.7％であるのに対し「低下した / どちらかといえば低下した」が 32.8％（図表 3-5）。また、チームの生産性が「向上した / どちらかといえば向上した」と回答した人は 15.2％。一方、「低下した / どちらかといえば低下した」が 18.3 ポイント高い、33.5％でした。

自身・チーム共に生産性が低下したと考えている人は向上したと考えている人よりも多くなっています。一方、最多は自身・チーム共に生産性は「変わらない」という回答です。

[図表3-5] リモートワークによる業務の生産性の変化

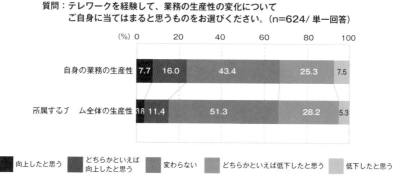

質問：テレワークを経験して、業務の生産性の変化について
ご自身に当てはまると思うものをお選びください。(n=624/ 単一回答)

- 向上したと思う
- どちらかといえば向上したと思う
- 変わらない
- どちらかといえば低下したと思う
- 低下したと思う

❷ リモートワークでやりがいが高くなった人は約４分の１

　リモートワーク経験後、仕事へのモチベーション・やりがいに変化があったかどうか尋ねたところ（図表3-6）、「高くなった／どちらかといえば高くなった」が合わせて27.1％。「低くなった／どちらかといえば低くなった」の18.4％より8.7ポイント高い結果となっています。

　コロナ禍の感染予防のために一斉に始まったリモートワーク。働きやすさの向上に一役買っていますが、チームワークは希薄化し、生産性が低下傾向です。ならば、取り止めたほうがよいのでしょうか。
　しかし中には、生産性を上げた企業もありました。どのような特徴があるのでしょうか。次ページで確認していきます。

［図表3-6］リモートワーク経験後のモチベーション・やりがいの変化

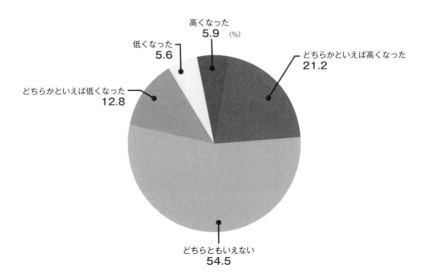

質問：テレワークを経験して、現在感じている仕事へのモチベーション・やりがいについて教えてください。（n=624／単一回答）

高くなった
5.9　(%)

低くなった
5.6

どちらかといえば低くなった
12.8

どちらかといえば高くなった
21.2

どちらともいえない
54.5

❯やりがいが高くなった人ほど、生産性も向上する傾向

前の問いでモチベーション・やりがいが高くなった人と低くなった人について、それぞれ生産性の変化の回答を比較しました（図表3-7）。モチベーション・やりがいが高くなった人は生産性についても「向上した」と回答した人が51.4%、逆に生産性が「低くなった」と答えた人は2.7%でした。これに対し、モチベーション・やりがいが低くなった人のうち、生産性が向上した人は2.9%で、逆に生産性が低くなった人は42.9%と、逆の結果になりました。モチベーション・やりがいといった従業員の内面の変化は業務の生産性と相関性があることが読み取れます。

紹介してきたリモートワークのデータは次の4点に総括できます。

- 「ワークライフバランスが向上した」と感じた人は約6割
- 「従業員同士のコミュニケーションの取りやすさ」「社内の一体感や連帯感」が低下したと捉えている人が多い
- 生産性が低下したと認識している人が一定数、存在する
- 仕事のやりがいが高くなった人は全体の約4分の1で、そのような人ほど生産性も向上傾向にある

[図表3-7] モチベーション・やりがいと生産性の比較

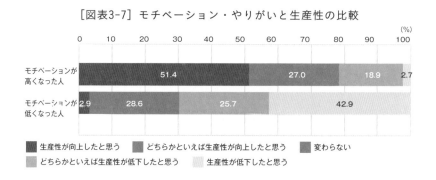

❯リモートワークは職場ごとにルール設計を

　リモートワークには、働きやすさを高めるポジティブな意見がある中で、決して小さくない課題も垣間見えました。リモートワークならではの経営・管理者のマネジメントの手腕が問われているわけです。

　求められるのは、**リモートワークにまつわるあらゆるルールや基準を、経営・管理者と従業員が一緒に考え設計することです。そして、その設計に至る理由や、求めたい働き方を明確に発信することが重要になるのです。**

　たとえば IT 系の企業であれば、物理的にはほぼフルリモートにできる企業が多いでしょう。ただし一体感・連帯感を保つために「1ヶ月に一度は全従業員で集まる」というように対面の機会をデザインすることも必要でしょうし、新人・若手や中途入社者に対しては対面の指導や導入プログラムが有効です。

　また、製造業であれば、製造部門の従業員は製造現場に出向くことが必須でしょうからリモートワークは難しい。一方で、バックオフィスの従業員は、一部リモートにしたほうが効率がよいという可能性もあります。同じ職場でも働きやすさに明確に格差が表れるのもリモートワークの課題のひとつです。

　本項目では、働きやすさ投資、とりわけ働き方を大きく変えたリモートワークについて考えを深めていきました。メリットや課題が見え、職場を見直すきっかけにしていただきたいと思います。
　次ページには、早期からリモートワークに着手し、問題点や解決策を見出した事例を紹介します。

一歩進んだワークスタイルを追求

株式会社グロービス（中規模部門／教育、学習支援業）

「自分が本当に働きたいと思う会社をつくる」として創業した堀義人氏（32ページ）。働きがいの高さを実現していましたが、コロナ禍では当時、混乱の時期にあった2020年4月の上旬からリモートワークにシフトしていました。堀氏が言うリモートワークで成果を上げる重要なポイントのうち、2つ紹介します。

1つめが「MBO（目標管理制度）の徹底」。一人一人がやりたいこと、やるべきことを公言し、達成に向けて主体的に取り組むことが当たり前とする文化を徹底させることです。リモートワークでも働く場所が変わっただけで、やるべきことは変わらない。MBOを徹底することで従業員は自律的に取り組み、パフォーマンスが落ちないというのです。

2つめが「ビジョン・ミッションが明確に定義されており、全員がそれに共鳴していること」。従業員全員がビジョン・ミッションで繋がっているから、向かうべき道を見誤らないというのです。

グロービスではコロナ禍以前からリモートワークを始めており、オンライン会議も当たり前だったと言います。長年取り組んでいるからこそ上記2点に説得力があります。

さらに、コロナ禍の緊急事態宣言が解除された後、ワークスタイルの追求のため、従業員全員にアンケートを行ったようです。

その結果「リモートワークによって生産性が上がった」と9割が感じていたというのがわかったのです。堀氏は、その理由を「移動時間の減少」や「有効に使える時間の増加」と推察しています。

一方で「雑談や、他部署・他チームとの偶発的な接点の減少」「オンラインでの相手の状態や表情の読み取りにくさ」「新入社員のキャッチアップのしにくさ」などの声もつかんでいました。つまりコミュニケーションが減ったことへの不安が多かったのです。確かに、それらは由々しきことです。堀氏は次のように言います。

　「セミナー後やミーティング後の何気ない雑談など、偶発的なコミュニケーションからイノベーションの種が見つかることもありますから、リアルの場での『偶発的な接点』はとても重要です。また、リモートでは新入社員のキャッチアップが難しいので、人事育成担当や所属部署が総出でフォローする体制をつくりました」

　全社へのアンケートを通じてオンラインの課題やオフラインの価値を浮き彫りにしたというわけです。そこでオンラインとオフラインの長所を組み合わせた新しい働き方の指針「ワークスタイル・ウェイ」をつくり上げました。その上で重視したのは「良きコミュニティ形成」「良き企業文化醸成」「良き関係性創出」という３点です。具体的には、週２回の出社と、原則月１回は「チームビルディングを目的とした場」をつくり、全社の合宿も行っています。このほか、「新入スタッフはHR・部門・チームで徹底的にフォローする」「会議はオフライン・オンライン自由選択」「フリーアドレス」などの原則をつくるに至ります。そこには「オンラインだけでは企業文化をつくることは困難であり、ある程度のリアルな接触を大事にしよう」という意図が込められていたのです。

　リモートワークには、その会社ならではの課題があるものです。また、フルリモートにするかなど働き方のルール設計やルールの理解・生産性アップの仕組みが求められます。自社が何を大事にするのかを従業員に伝えるよい手段と捉え、決定してほしいと思います。

ポイント③　インクルージョンの担保

　働きがいを高めるポイントの３つめは「インクルージョンの担保」です。「インクルージョン」とは「包括」を意味します。一般的には、「多様性」を意味する「ダイバーシティ」と組み合わせて**「ダイバーシティ＆インクルージョン」**（D&I）と表現されることが多い単語です。つまり、**「全ての働く人が、会社において尊重され、能力を発揮できている状態」**を指します。

　詳細は４章に後述するとして、本項目では、職場の多様な人材がお互いの個性や価値観、考え方を認め合い、一体感のある状態をどのように担保するのかを紹介します。

❯職場メンバーを深く知るには「コンテクスト」がカギ

　職場の信頼関係を深めていくには、個人的な事情や将来の希望、どのような人脈を持った人物かなどの「コンテクスト」を理解することが最も重要なカギになります。お互いの深い部分まで知り合うことは、信頼関係を育むことに繋がります。

　仕事の表面上で見えやすい**「スキル」**に留まらず、互いの"強み"や"弱み"を経験から紐解いて理解する**「パーソナリティ」**を知ること、そして最終的には、**「コンテクスト」**まで把握し、かかわることができれば理想的です。たとえば、123ページに紹介した「喜怒哀楽の書き起こし」「モチベーションの推移曲線」などを共有し合うことで、互いの強みや弱み、そして仕事上のこだわりが見えてくるものです。互いに共有できる関係を目指しましょう。

〈相手を理解する3つのフレーム〉

Skill（スキル）……何ができるのか？

どんな知識や技術、経験があって、何ができるかを知ることです。「IT業界に詳しい」「動画編集ソフトを扱える」「セミナー講師を務めた経験がある」など、仕事を行う上での取柄を理解しましょう。「何ができるか」がわかると、効率的に役割分担を行いながらスムーズに協働を進められます。

Personality（パーソナリティ）……どんな性格なのか？

どんな性格で、資質があり、持ち味があるか。「人当たりがよくて気遣い上手」「リーダーシップがある」「チームを和ませるキャラクター」などです。パーソナリティを理解すれば、スムーズなコミュニケーションが可能になります。

Context（コンテクスト）……どんな背景や思いがあるのか？

どんな個人的な事情や将来の希望、人脈などを持った人物なのかです。「どうしてこの職場で働いているのか」「どのような目標を持っているのか」「どんな人たちと付き合っているのか」です。コンテクストは、意識的に会話したり、情報収集をしないと理解は困難です。

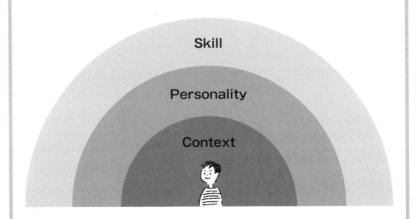

ポイント④　やりがいに火を付ける

　全員型「働きがいのある会社」モデルの中で、やりがいは主に
「信用」「誇り」「連帯感」にあたります。そのことを意識してアプ
ローチするのが効果的です。

　特にここでは、今すぐからでも始められる方法、何気ない雑談を
意図的につくり出す戦略的雑談 **「1on1 ミーティング」** について解
説します。

　会社としては、信頼を軸としたコミュニケーションを図りたいも
のです。そこでコミュニケーションを取る場として、1on1 を効果
的に行うことをおすすめします。

❷約７割の日本企業が導入している「1on1」

　1on1 とは上司が部下と１対１で対話を行い、部下の現状や悩みに
寄り添い仕事のパフォーマンスを最大化することを目的としていま
す。上司が一方的に、指示や指摘をするような業務の進捗確認会議
や、半年・１年の業務を総括する評価面談のようなものではありま
せん。

　定期的なコミュニケーションが上司と部下の信頼関係を高めるほ
か、大きなミスを未然に防いだり、突然の退職を抑止したりなど、
さまざまな効用が期待できるため、多くの企業で 1on1 が導入され
ています。

　「1on1 ミーティング導入の実態調査」は 2022 年に全国主要都市圏
の企業にて人事系業務を担当する正社員 936 人に対して調査したも

のです（リクルートマネジメントソリューションズが公表）。それによると1on1の導入率は、全体で7割近い結果となっています（図表3-8）。

　次ページから、1on1の「導入効果」や「課題」「やり方」「言葉がけ」を紹介します。

●1on1を効果的にするマインドセット

　1on1は、心理的安全性が担保された状況で、気軽に行うことが理想的です。始めは上手くいかない場合も往々にしてありますが、続けるうちに、コミュニケーションの量や質は確実にアップします。
　そのために何より大事なのは、上司が部下の話を聴くことです。

[図表3-8] 1on1の導入状況

質問：1on1を施策として導入していますか。（単一回答）

	人事施策として全社で導入している	人事施策として一部の組織で導入している	部門施策として一部の組織で導入している	公式施策として導入していない	全く実施していない
全体（936社）	35.9	20.6	11.2	35.9	16.0
100～699人（312社）	21.8	23.1	12.8	20.2	22.1
700～2999人（312社）	37.5	22.1	10.3	14.4	15.7
3000人以上（312社）	48.4	16.7	10.6	14.1	10.3

（%）0　10　20　30　40　50　60　70　80　90　100

■ 人事施策として全社で導入している
■ 人事施策として一部の組織で導入している
■ 部門施策として一部の組織で導入している
■ 公式施策として導入していない（現場で任意に実施している）
■ 全く実施していない

出典：リクルートマネジメントソリューションズ「1on1ミーティング導入の実態調査」（2022年）

また、繰り返しますが、業務の単なる「申し送りの場」「進捗確認の場」ではないことに注意しましょう。

次のような意識で臨むと奏功します。

コンディションの小さな変化を感じ取る
今より働き方を改善する
メンバー一人一人のコンテクストを知る
本人が人生や仕事を通じて実現したいビジョンを支援する

また、話に上がった「働き方の改善」は、可能な限り関係各所や上層部と共有し、実現化するよう尽力するのが望ましいでしょう。

上司と部下間の確認したい内容と頻度について、「将来展望・キャリア」は、3ヶ月〜半年に1回の頻度でよいでしょう。「仕事やコンディションの確認」は、1〜2週間に1回くらいの頻度で、こまめに行うことを推奨します。

頻度を高めることによって「ライフイベントによって、長期的な展望が変わる場合」「転職意向」などを早い段階でキャッチできるので、本人の状況に対して支援を行うことができます。

仕事にメリハリを付けるためにも、日常の句読点としての1on1の活用をおすすめします。

❷1on1が上手くいく言葉がけ

1on1で何を話せばよいのか、紹介します。長さは特別な場合を除いて30分〜1時間程度が適切です。まず「何を話してもよい」と自由な発言、心理的安全性を担保することです。

次のような切り出し方だと、相手も話しやすくなるものです。もちろん、自身のキャラクターや相手との関係性に拠りますので、ヒントとしてアレンジしてみてください。

「テーマフリー」「ざっくばらん」「雑談」という言葉がけ通りにプライベートの話が出てくるかもしれません。それを「業務に関係ない話」などと斬り捨てず、丁寧に耳を傾けてください。それは相手のコンテクストを深く知るきっかけです。

会話が進むうちに「実は母親が急病で入院してしまって、仕事に身が入らない」などの話になるかもしれません。プライベートと仕事を両立する働き方の提案などのマネジメントに結び付くでしょう。

　上司が話す時の話題は「自身の失敗談や苦労している点」という方向性もよいでしょう。「プロジェクトが大変」という具体的な話でもよいですし、私的な面で「子どもが小さくて夜泣きがつらい」などという話でもかまいません。

　まずは、**上司自らオープンになることで部下もオープンになりやすいもの**です。また、部下としては上司は上手くやっているように見えるものです。上司の失敗や大変さを聞くと親近感が湧きやすくなります。

　お互いの信頼関係を十分に築けてきたら、次は部下の仕事一つ一つに対して、会社や職場の戦略や方針にどのように寄与しているのかを丁寧に伝えていきましょう。それが誇りを高めることに繋がります。

❯やりがいに火を付ける逸話

　多忙な状況に仕事の意味を見失ったり、ルーチン作業でマンネリに陥ったりするものです。1on1を通して、仕事の意味付けをすることも重要なことです。その積み重ねが、部下の仕事に対する誇りを育み、やりがいに火を付けることに結び付いていくことでしょう。

　そこで、**「レンガ積み職人の話」**を念頭に、部下が担っている仕事が何に繋がっているのかを、自分の言葉で語りかけていきましょう。「レンガ積み職人の話」とは新人研修のスピーチなどでよく使

われる逸話のひとつです。そのストーリーは次のような内容です。

〈レンガ積み職人の話〉

　旅人が、建築現場でレンガを積んでいる３人の職人たちに「何をしているのか」と聞くと、まったく異なる答えが返ってきました。

　１人めの職人はこう答えます。
「見ればわかるだろう。仕方なくレンガを積んでいるんだ」。

　２人めの職人はこう答えます。
「家族を養うために、レンガ積みの仕事をしているんだ」。

　３人めの職人はこう答えます。
「歴史に残る大聖堂をつくっているんだ」。

　つまり１人めは単純作業として、２人めは生活のため、３人めは「後世の人々の心のよりどころとなるために大聖堂を建てる」という理想に向かってレンガを積んでいたのです。

　同じ作業でも、何を目的とするかで感じ方は違ってくることがわかります。３人めの職人のように夢を持って働きたいものです。

　1on1 でやりがいに火を付けるためには、ベースとなる信頼関係、心理的安全性の担保をしたうえで、仕事の意味付けを行うことが大切だという順番は、ぜひ押さえておいてください。

　なお、やりがいに火を付ける方法は、もちろん他にも多彩にあります。会社全体で実施できる施策の例を見ていきましょう。

ポイント⑤　職場カルチャーの明確化

　実際に職場でつくれる働きがいのポイントの5つめ、「職場カルチャーの明確化」について述べていきます。職場カルチャーとは、企業風土、企業文化として意識されていることなどと言い換えることができます。たとえば、次のようなことがそれに当たります。

　仲間意識が強い会社で、いざという時は部署を超えて団結できる
　職位に関係なく自由に発言できる。若手の意見も採用されやすい
　多様な働き方が認められており、お互いに尊重し合いながら自律
　的に仕事をしている

●働きがいと職場カルチャーの関係

　職場カルチャーと自身の働きがいには密接な関係があります。職場カルチャーに違和感があると、心理的安全性が低下したり、モチベーションが下がったりなど、やりづらさを感じることがあります。

　たとえばチームワークを重視し、自由度が高い職場を好む人は、次のような職場に、自分とは合わない感覚を抱いたことがあるかもしれません。

　仕事は基本的に個人プレー。責任が重くのしかかる
　先輩や同僚の雰囲気が体育会系で、ノリと勢いを求められる
　細かい点まで上司に確認が必要

　職場の雰囲気がストレスで転職に踏み切る人も少なくありません。それほど、職場カルチャーとのミスマッチは、本来の能力を発揮する以前の問題で、ストレスフルなものです。

職場カルチャーに違和感を持つ場合もあれば、反対に共感する場合もあります。その場合職場の居心地がよく、モチベーションが高まり、仕事にドライブがかかります。

❯職場カルチャーはどうやってできるのか

創業社長が興したような企業は、トップが職場カルチャーをつくる部分が大きくあるでしょう。または職場のマネジメントの試行錯誤や、顧客接点での取り組みなどからできる場合もあります。一方で、MVVから職場カルチャーを意図的に醸成する場合もあります。

しかしながら、会社の規模が大きくなると、多様な人がいるため、カルチャーが薄まることが往々にしてあるでしょう。

そうすると**経営・管理者と従業員の間で、大事にしていることにギャップが出てくるもの**です。経営・管理者は職場カルチャーを明確化し、浸透させることが大事になるのです。

また、社内だけでなく外にも発信していくことが理想です。

体育会系　　チームワーク重視　　個人プレー

◆職場カルチャーと採用のミスマッチ

　外部の人からすると、発信された明確な職場カルチャーは、職場風景を想像させる助けになり、より職場に馴染みやすい人材が集まるようになるでしょう。つまり、採用の段階で、できる限りミスマッチをなくしておくべきです。

　ところが、採用で発信された内容の"建前"と入社後にわかった"本音"が違いすぎるという例も残念ながら見聞きします。ヒアリングしたある方からの話です。

> 「入社前は『一人一人の個性や意見を大事にする』とトップが話していましたが、初日に上司から『ものを言うなんて10年早い』『仕事ができないなら、笑いぐらいとれ』などと言われ、心が凍りました」

　本来あってはならないことです。しかし職場カルチャーとしてうたっている看板と実際の姿に齟齬がある企業も存在します。

　求職者は入社後に自らのパフォーマンスを最大化するためにも、その会社の職場カルチャーを入念すぎるほど調べて損はありません。

　最もよい方法は「カジュアル面談」や「採用面接」「セミナーの会場」などで、従業員（面接官など）と実際に対話することです。リアルに話をする中で　次のように、わずかでも違和感を持った場合、その会社で働く人やカルチャーと自分がマッチしない可能性を検討しましょう。

「職場カルチャーについて人によって言っていることが違う」
「下調べした会社の印象と話した内容が違う」

　たとえそれが言語化できず、なんとなくという感覚であっても大事にしたほうが、後々上手くいきます。もちろん、その面接担当官とたまたま相性が良くなかったという場合もあるかもしれませんので、あの手この手で職場カルチャーを調べておきましょう。

　採用を担当する人事担当者も、求職者と職場カルチャーのマッチングには特に注力してほしいと思います。詳しくは228ページにおいて人事の「働きたくなる職場」づくり戦略として紹介していますので、参照してみてください。

　次のページでは、離職率についてお話しておきましょう。

❷ベストカンパニーの離職率は必ずしも低くない

「働きがいのある会社」認定・ランキングに社名があるような企業は**「離職を必ずしもネガティブには捉えない」**傾向が見られます。なぜかというと、「どんなにスキルに秀でた優秀な人材でも、カルチャーに合致していない場合は去っていただくほうがいい」というのが、働きがいの高い会社が持っている感覚だからです。それほどカルチャーとは大事なものであり、なおかつ、採用面接の段階で全てを見極められるものではないということです。

離職率が極端に高い場合は「働きやすさが著しく低い」など、職場に問題がある可能性を検討しておくべきでしょう。しかしながら、**「離職率が低いので、その職場の働きがいは高い」というわけではない**のです。

離職率の低さは、働きがいの高い職場になるための必要条件ではなく、あくまで十分条件であり、ランキングの常連である企業においては離職率が一定高い企業もある。そんな事実を知っておいてください。

❷ ミッションとカルチャーに合わない時

一方で、転職だけが解決策ではありません。

まずは従業員の立場なら、職場の違和感を押し殺さず、職場の他の従業員に相談することをおすすめします。詳しくは 214 ページの「職場改革は、従業員ひとりからでも始められる」に記載しましたので、参照してみてください。

同志を募り、働きがい改革のムーブメントを起こす活動を推進することは可能です。会社のミッションやビジョン、経営者の思いに

共感しているけれども職場カルチャーに違和感があり、変えていくことが会社のためになると思えるのであれば、ぜひ、行動を起こしてほしいと思います。

たとえば次のように行動を起こして小さな改善を加えていったり、会社が大事にしていることに理解納得をしていくプロセスを踏んだ事例もあります。

「期初のキックオフで社長が『働き方改革を推進する』と話していたのに、自分の部署では定例の会議が夜19時から設定されている。また、業務が終わらず、20時以降も働いていると部長に『頑張っているね』と笑顔で声をかけられた」

→周囲に聞いた結果「私もおかしいと思っている」という声が続出。そのことを会社に意見具申し、結果的に定例会議の開始時刻が早まったり、上長の意識改革が行われたりした。
　また、退館を促す時間の前倒しや全社的な生産性向上施策が検討されることになった。

「新卒入社で営業部に配属され、体力勝負のカルチャーに疑問を持った。自分に合うか心配だった」

→周囲に聞いた結果「量をこなしていくうちに質が生まれる」という話を聞いて、職場の明確な教育方針があることにひとまず納得できた。行動量を意識するなどして、結果的に自分なりの営業スタイルを確立することができた。

3 章のまとめ

1 働きがいは、会社が主導して皆でつくるものという感覚を持とう

---

2 仕事の動機は大きく「外発的動機付け」と「内発的動機付け」の2つがある。金銭や名誉などの理由が動機になっているケースは「外発的動機」でモチベーションは長続きしにくい。「自分に合う」「使命だと思える」といった理由が動機になっているケースは「内発的動機」で長続きしやすい

---

3 職場でつくれる働きがいの5つのポイント
①ミッション・ビジョン・バリュー（MVV）の浸透
②働きやすさ投資
③インクルージョンの担保
④やりがいに火を付ける
⑤職場カルチャーの明確化

---

4 MVVの浸透の具体的な流れ
〈1〉現在の場所を確認し、ありたい姿を描く
〈2〉求められる行動を明確にする
〈3〉管理職が率先して示す
〈4〉人材マネジメントに組み込み、一貫して実践する
〈5〉浸透施策を継続し、浸透度合いを確認する

5 働きやすさ投資の５つのポイント
　１. 経営・管理者は従業員の提案・意見を聞いている
　２. 安心して働ける環境がある
　３. 働く環境の設備が整っている
　４. 休暇が取りやすい
　５. ワークライフバランスが奨励されている

- -

6 職場を大きく変えたリモートワーク。ワークライフバラン
　スが向上した人は約６割だが、コミュニケーションの取り
　やすさや連帯感・一体感が低下したと捉える人が多い。一
　方で、仕事のやりがいが高まった人ほど生産性も向上傾向
　にある

- -

7 ダイバーシティ＆インクルージョン（Ｄ＆Ｉ）の推進とは、
　職場で多様な個性や考え方をお互いに認め合うこと。その
　ことを通じて一体感のある状態をつくることが望ましい。
　職場メンバーの「スキル」「パーソナリティ」「コンテクス
　ト」を深い面まで知る関係づくりをしよう

- -

8 やりがいを高めるアプローチとして、戦略的雑談「1on1
　ミーティング」を効果的に活用しよう

- -

9 職場カルチャーを明確化し、浸透させること。とりわけ採
　用の段階での見極めとすり合わせは職場とのミスマッチを
　避けるうえで重要

4章

▼

多様性が活きる職場

11 なぜ、多様性のある職場が求められるのか
12 ジェンダー平等の働きたくなる職場
13 シニアの働きたくなる職場
14 若手の働きたくなる職場

11 / なぜ、多様性のある職場が 求められるのか

多様な価値観のある職場の課題

　4章では、お伝えしたダイバーシティ＆インクルージョン（D&I）について、異なる属性の従業員同士が「深い相互理解が可能か」「働きがいを高めていけるか」について詳細にお伝えします。

　D&Iが進んでいる職場は、多様な属性や背景を持つ人材で構成されています。加えて「どのように働きたいか」「何に働きがいを感じるか」などの考え方もそれぞれ異なります。たとえば「新入社員」「育児中の従業員」「外国籍の従業員」「再雇用された60代の従業員」がひとつのチームを構成していると想像してみてください。

　「異なるキャリア」「モチベーション」「バックグラウンド」「労働観」を持つ従業員らが円滑なコミュニケーションを取りながら、会社が掲げる目標に向かっていくためには、多様な考え方を束ねるだけでなく、**「違いを認め合うカルチャー」**を醸成していく必要があります。

❯「見た印象」と「本人の望む働き方」は、同じとは限らない？

　働きがいとは決して画一的なものではなく、どこに見出すかは十人十色です。多様性のある職場では、互いの「コンテクスト」や「働きがい」を理解し合うことが求められます。

　「プライベートの充実よりも、高い報酬を希望する」という人もいれば、**「報酬の高さよりも、労働の負荷を軽くしてほしい」**という人もいます。また、言語化できずにいる人や、周囲に伝えることができていない人もいるでしょう。

　気を付けたいのは周りから見た印象と本人の望む働き方は同じとは限らない点です。

❷D＆I促進による３つのメリット

「D＆Iが担保された職場」をつくることには大きなメリットがあります。繰り返しますが、あらゆる属性の人材が集まっていることで、多様な価値観がぶつかり合い、違いに敏感になることができます。また、多方面からの情報が集まりやすくもなります。つまり、**アウトプットとして生み出すものが、より幅広く、深いものになる**ことが期待できるでしょう。

　D＆Iを本質的な意味で推進できている企業のメリットを３つ挙げましょう。

①人材獲得力の強化

　若年層が就職先を選ぶ際、D＆Iが重視され始めています。PwCのグローバル調査によると「多様性、平等性、多様な人材に対する受容性に関する方針が就職先を決める上で重要」と回答した人は女性で86％、男性で74％でした（PwC「ミレニアル世代の女性：新たな時代の人材」2015年より）。

②リスク管理能力や監督機能の向上

　D＆Iには「リスク管理能力の向上」「取締役会の監督機能の向上」といった企業経営のマイナス要因を排除する働きも期待できます。D＆Iに欠ける企業では**「グループ・シンク（集団浅慮）」**（集団であるがゆえにかえって不合理な意思決定がなされてしまうこと）が起こり得ます。たとえば、アメリカでは、リーマンショックの原因は「同質的な取締役会の構成が大きい」と指摘されています。また、女性取締役を１人以上有する企業は、１人もいない企業と比べて金融危機後の回復力が強い傾向にあったというデータも存在します。

近年は ESG 投資が活況で、投資家の間でも D&I は企業評価の指標に組み込まれています。日本では 2021 年 6 月に金融庁と東京証券取引所が、企業の中核人材における多様性の確保と情報開示を求めていく姿勢を明らかにしました。

③創造性や革新性の向上

　職場の中で多様な立場・考え方を活かし合うことがイノベーションの創出に寄与し、企業の業績にもかかわってきます。アメリカのGPTW の調査では、特定の従業員グループ*の働きがいが高い上場企業群（下図では Thriving と表記）は、リーマンショックによるリセッションからの回復が早かったうえ、2006 年から 14 年にかけて株価を 35％上昇させています（図表 4-1）。「多様な従業員が尊重されていることが事業に与える影響は大きい」と推察できます。

（＊女性、有色人種、エッセンシャルワーカー、パートタイムの男性、長期勤続者）

[図表4-1] 2006〜14年同月の平均株価の終値（USD）

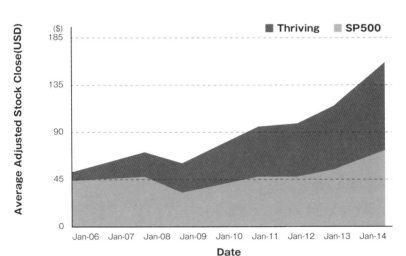

出典：Great Place To Work® 「Hidden Pieces of the D&I Puzzle」（2020 年）

❷D&Iは深層面にも配慮が必要

　企業のダイバーシティ推進というと、「性別」「年齢」「人種」といった表層的な属性への注目に留まってしまうことがよくあります。しかし、多様性には、「表層」と「深層」の2種類があることにも注意が必要です。

　たとえ同じ属性でも「経験」「スキル」「考え方」は人それぞれです。踏み込んで深層的な属性にも着目する必要があります。まず、表層的な属性のダイバーシティを担保することを入口としながらも、最終的には**従業員一人一人の深層的な属性をどれほど重視できるかが、会社の将来を左右する**。そう形容しても過言ではないでしょう。

　多様性が乏しいと気付いたら、採用の機会で積極的に多様な人材を獲得していくことも有益です。また、部署ごとに単一な属性の人が集まって固定化してしまい、活発な化学反応が起きていないとしたら「部署の再編成」「部署間の交流促進」などの施策を推奨します。

　D&Iを推進する活動を**「組織開発のための投資」と前向きに捉えられるか否かが、明暗を分けます**。大事なのは、全員の働きがいを高める「全員型」を志向し続けることです。

〈多様性の表層と深層〉

表層
（可視）

性別　年齢　人種　雇用形態
障がいの有無　など

深層
（不可視）

教育　経験　知識　スキル
考え方　コミュニケーションスタイル
性的指向　など

事例21 「優れた実力主義に、年齢・性別・学歴は関係ない」と言える理由

モルガン・スタンレー（大規模部門／金融業）

　2022年版「働きがいのある会社」認定企業の中から、特に女性の働きがいに優れた企業を表彰する「女性ランキング」において4位にランクインしたモルガン・スタンレー。同社は幅広い金融サービスをグローバルに展開しており、40超の国を拠点に従業員が勤めています。同社の日本における社員数は約1300人、そのうち42％が女性です。また、日本における証券子会社の経営会議のメンバーも、43％が女性です。

　同社の企業文化の根幹には「優れた実力主義に基づいて組織を束ねる」という理念があります。**「優れた実力主義」とは、個人の実績とスキルに基づいて機会を与えること。性別や年齢、学歴などは無関係です。**このような考え方は、ダイバーシティの実現と密接に関係します。同社は特に「性差に関係なく、個人の能力を最大限に引き出すこと」を目指してさまざまな施策を推進してきました。
「女性のために色々と工夫をしなければいけない」ではなく「誰もが平等に機会を与えられるべき」という考え方で取り組むというポリシーです。2020年には「ダイバーシティ＆インクルージョンへのコミットメント」を企業指針に追加し、内外に向け表明しています。

　実際、同社では多様性や個々の違いを尊重する企業文化の育成に注力しています。**さまざまな異なる価値観が尊重され、従業員一人一人が自分らしくいられる環境によって、個々人の能力が最大限に引き出される**と考えているからです。

また「ダイバーシティの推進は人事部だけが担う課題ではない」というスタンスから、日本拠点に「ダイバーシティ・アンド・インクルージョン・カウンシル」（カウンシル＝協議会の意味）が設立されています。このカウンシルは、「多様性に富んだ優れた人材を当社が採用し、育成し、維持するために何をすべきかを提案し、アクションに繋げること」を掲げています。マネージング・ディレクター2人が同カウンシルの共同代表を務め、共同代表が選任した職場の変革に熱意を持って取り組むシニアレベルの代表者がその構成メンバーになっており、部門を越えた協働を行っています。

　また、カウンシルは人材の採用、育成、維持のために各部署の代表者と定期的に会合し、それぞれのフォーカスに沿い、全社に展開可能な新しい施策の策定や従来の慣習や制度の見直し、ベストプラクティスの共有を行っています。カウンシルは、経営会議のメンバーに取り組みの進捗状況を報告するだけでなく、経営会議メンバーに対してのアドバイザリーボードとしての役割も担います。社内の状況を部門横断的に分析し、経営レベルで取り組むべき課題も提言しています。これには、経営陣にプレッシャーをかける狙いがあると言われています。さらには、会社が Women's Business Alliance、Pride & Allies Network（LGBT）等の D&I に取り組む社員ネットワークのスポンサーにもなっています。社員が自主的に行う取り組みを会社として支援し、多様性に対する理解の醸成を促しているわけです。

　このように、社内に社員ネットワークが存在する場合には、それらが開催するイベントに経営陣が積極的に参加したり、イベントで挙げられた声に経営陣自ら答えていくことにより、会社として D&I を重視しているというメッセージを社内に浸透させ、多様性を認め合うカルチャー醸成を促進することができます。

12 ／ ジェンダー平等の 働きたくなる職場

数字と事例で見る女性の働きにくさ

　次は職場におけるジェンダー平等に焦点を当てます。特に「ライフイベントと仕事の両立」という問題について見ていきましょう。

　そもそも働きやすい職場とは、性別に関係なく「全ての人が働きやすいと感じる職場」であるはずです。

　しかしながら日本の場合、女性の社会進出という点で、諸外国に大幅に遅れを取っています。政府は女性管理職の割合を 2020 年代の可能な限り早期に 30％程度になることを目標に掲げており、多くの企業が子育てと仕事との両立をさせやすいように、制度を整えている過渡期にあります。

❷ジェンダー平等に立ちはだかる「見えない壁」

「性別に関係なく、正当に扱われる」というカルチャーがあることも重要です。次のような状況では、ジェンダー平等とは言えません。

　男性同士のグループがあり、認められることが昇進の隠れた条件
　社外にアピールするために、女性を管理職になりやすくする

　ただし、男女共に全ての人が管理職として働きたいと考えているわけではないことを強調しておきます。「子どもができたら、小学校受験や中学校受験などのイベントも視野に入れて子育てをしていきたいため、プライベートな時間を増やしたい。仕事はほどほどでいい」、と考える従業員も存在します。企業によっては、そのよう

なワークライフバランスを望む従業員が主流の場合もあるでしょう。ですから、会社側が働き方を押し付けないことも大切です。

「子どもが生まれてもバリバリ働きたい従業員」には、両立を最大限に支援し、「ライフイベントの変化に応じて働くことをセーブしたい従業員」には、その意向を尊重する。

　経営・管理者にはそのような姿勢が求められます。

〈女性の社会進出の現状を示す指標〉

〈男女格差を測るジェンダー・ギャップ指数〉
（「経済」「教育」「健康」「政治」の4つの分野）

146 カ国中 116 位

出典：世界経済フォーラム「The Global Gender Gap Report 2022」（2022 年）

〈男女間賃金格差〉
男性一般労働者の給与水準を 100 とした時

女性一般労働者は 75.2

出典：厚生労働省「2021 年賃金構造基本統計調査」（2021 年）

〈管理職（課長相当職以上）に占める女性の割合〉

平均 9.4%[※]

出典：帝国データバンクの調査「女性登用に対する企業の意識調査」（2022 年）

※過去最高値ではあるが、1 割を下回るのは低水準。ただし、管理職を避ける女性も少なくないため、女性側の意向が反映されていることも考えられる。

❷ライフイベントと共に働き続ける選択肢を多様に持てる職場に

　日本の女性において、20 代前半では多くの人が働き、20 代後半から 30 代前半で結婚や出産などのライフイベントにより一時的に退職し、育児が落ち着いてくる 30 代後半から再度働き始める人が増える傾向がありました。グラフで表すとＭの字になることから、この現象は「**Ｍ字カーブ**」と呼ばれています。

　最近では、Ｍ字カーブは解消されつつありますが、**産休育休を取得した女性がマミートラックに乗せられてしまうこと、すなわち簡易な仕事をあてがわれ、将来のキャリア形成が見込めなくなるケースはいまだに存在しているようです。**

　また、実際に育児中でなくとも「女性は出産で仕事を中断する可能性があるから、長期のプロジェクトや難易度の高いプロジェクトにアサインすることは控えよう」「女性には管理職の中でも負荷が低めのポジションを用意しよう」という配慮（「いらぬ配慮」と私は呼んでいます）が根強く残る企業の事例を多く目にしています。

　これは、女性が仕事に対して自信を持つことや、成長する機会を奪うことに繋がっていると認識してほしいと思います。女性には男性よりもライフイベントの分岐が多く、それが仕事に影響を及ぼすことは事実です。しかしながら、中長期的な目線で考えた時に、自分がやりたいことや目指すキャリアに向けて最善の選択肢が取れるように、会社は女性に仕事をする能力・実力を身に付けさせる機会を設ける必要があると考えます。

　特に若いうちに女性にリーダー経験をさせること、成功も失敗も体験させられる難易度の高い仕事をアサインすることは有効であり、

女性に多いと言われる「**インポスター症候群**」（自分を過小評価してしまう心理傾向）を減らしていくことにも繋がるでしょう。

❷ 出産・子育ての中でも「働きたくなる職場」

　女性が働き続けるためには、ライフイベントを乗り越えるための働きやすい職場環境も重要な要素のひとつです。結婚して子どもが生まれても、ヘルシーに働くことができる、そんな職場であるために法定対応を超えて整備されている素晴らしい制度を紹介します。

①「地域の保育園や病児保育の情報にアクセスするにはどうしたらいいか」などの相談員が社内にいる
②妊娠してから職場復帰して働くまでの、ワーキングマザーにとって必要な情報がポータルサイトや冊子等に一元化されている
③男性も含めたパパ・ママネットワーキングがある
④企業内保育園がある
⑤搾乳室がある
⑥母乳を冷凍できる冷凍庫がある

　もちろん、全てを整えないといけないわけではありません。ただ、出産を担う女性本人や子育てをする従業員の働きやすさの水準を高めるために、このような配慮ある施策を行っている企業もあるのです。

❷「ジェンダー平等で働きたくなる職場」5つのポイント

では、どんな職場がジェンダー平等で働きたくなる職場か、ポイントを5つ挙げます。

①ジェンダーにかかわらず働きがいが高い

特定の性別の働きがいが高いことはジェンダー平等ではありません。GPTW Japan の女性ランキングにランクインしている企業は「性別によらない公平な扱い」に対する男女の認識差が小さく、かつ、男女共に働きがいが高くなっています。

②女性管理職比率が、採用時の男女比率と遜色ない

入社時の男女比率と管理職の男女比率にギャップが少ないことも大事です。最近では課長クラスの男女比率は改善が見られますが、部長や役員などの階層においても、男女比率が同水準であることが、ジェンダー平等の目指したい姿だと言えます。

③ライフとワークのバランスをとれるユニークな制度がある

女性が働きがいを持って働き続けるには、さまざまなライフイベントがある中でもパフォーマンスを発揮していく必要があります。会社には、それを支援するために工夫を凝らした制度があるのかどうかが大事になります。

たとえば、「パートナーが子どもを見てくれる週末や、子どもが寝静まっている早朝・深夜のほうが仕事をしやすい」という人もいるでしょう。そのために、「1ヶ月のうち100時間好きな時に勤務すればよい」などの柔軟な制度を持つ企業もあります。

④一般的には「女性のための施策」とされるものが性別を限定せずに実施されている

　働く上で困った時にいつでも相談し合えるネットワーキングを持っている企業は一定数存在します。ワーキングマザーが集まって育児との両立を相談する場があったり、女性が管理職像を見出せない悩みに、ロールモデルになる先輩社員が対応したりなどです。素晴らしいものですが、男性もこれらのネットワーキングに入るのが望ましいでしょう。女性のための施策が「女性だけの閉じた施策」になっていないか確認してください。

⑤若いうちから責任ある仕事、ポジションを与えられている

　20代のうちにチャレンジングな仕事を経験して、仕事を通じて強みを伸ばすことができることは、その後の活躍に大きく影響します。特に女性は、30代でライフイベントによって仕事をセーブするタイミングが来る人も多いので、早いうちに自分の強みや専門性を積み上げていくことが重要です。

　そのため、会社は20代のうちに女性をチームリーダーなど責任ある仕事にアサインしたり、また、アサインした役割を全うしてもらうためのサポート施策、研修やコーチングなどを提供することも大切なポイントです。次ページで「早い抜擢」を実践している事例を紹介します。

　男性のみ、女性のみなど性別で区切った限定的な施策ではなく、性別にかかわらない、全ての人に公平に機会が与えられる施策が求められます。

事例22　早期抜擢の機会があることで ジェンダー平等を実現する

レバレジーズグループ （大規模部門／サービス業 [他に分類されないもの]）

「働きがいのある会社」女性ランキングに 2021 年から最新の 2023 年まで連続 1 位に輝いているレバレジーズグループ。女性 51.3％、男性 48.7％という比率で、産休・育休後の復帰率は 95.4％。そんな同社の「ジェンダー平等な働きがいを生み出す仕組み」を見ていきましょう。同社には「人は抜擢すると成長する」という方針があります。抜擢されると「大きな仕事を任された責任感ややり切った達成感を経験できる」「責任範囲が拡大して個人の成長ややりがいが生まれる」という考え方です。そうするとライフイベントによって働き方に変化があっても「仕事を続けたい」「もっとチャレンジしたい」という気持ちになりやすいと言います。

　また、同社は「やりがい」だけでなく「働きやすさ」も重視しています。女性従業員がライフイベントによって仕事を諦める必要がないように特に出産・育児への徹底的なフォローを行っています。

　同社の「早い抜擢」の実態としては、「抜擢までの最短期間」としては入社 2 ヶ月、「リーダー職までの平均期間」としては 2.3 年、「事業責任者の 20 代比率」は 50％以上、「リーダー職以上の 20 代比率」は 60％以上になっています。2 例を挙げます。

2017 年新卒入社の女性の例

1 年目　法人営業
2 年目　法人営業リーダー
3 年目　グループマネージャー（部下 20 人）
5 年目　グループマネージャー（部下 70 人）

7年目　事業責任者（予定）部下200人

2015年新卒入社の女性の例
1年目　キャリアアドバイザー
4年目　グループマネージャー（部下20人）第一子育休
6年目　グループマネージャー（時短勤務・部下6人）
7年目　新領域グループマネージャー（部下10人）・第二子育休予定

　また、同社は次のような施策でも支援しています。

①「妊娠がわかってから、どのタイミングで会社・社会の制度を使うのか」「出産・育児前後での働き方」など、わかりやすく解説している冊子を女性従業員に配布している。

②出産・育児を経験していない若い管理職も多い。そこで、妊娠期の体の変化や周囲の理想的な声のかけ方、女性向けの制度など、詳しく解説された管理職向けの冊子を配布している。マタニティハラスメントなどのマネジメントリスクを事前に防ぐ目的もある。

③育児休業中の従業員が復帰先の上長やメンバーと復帰前にコミュニケーションを取るための飲食代費用「育コミュニケーション手当」を支給している。1人あたり1300円を育児休業中に2回まで使用可能。カジュアルに、ランチを共にするなどしてコミュニケーションを図り、復帰する際の不安を和らげるという意図。

　もしかすると「早期抜擢は荷が重い」という女性従業員がいるかもしれません。ですが、モデルケースである女性のリーダーが周囲に多く存在するため、心理的なハードルは下がり「挑戦しやすい」と感じられることでしょう。

13 / シニアの働きたくなる職場

シニア層の学び合う職場

　職場におけるシニアへの注目が高まっているのは、止まらぬ少子高齢化が背景にあるでしょう。総人口に占める65歳以上の割合は、2022年は約30%、40年には35%を超えると推定されています。3人に1人は65歳以上になるので、シニアを含めた働きがいのある職場づくりが求められています。

　シニアの働く意欲はどうか。65歳以上の就業者は年々増加傾向にあり、2020年には、906万人に上ります（図表4-2）。定年退職する予定の人に「定年後も現在の勤務先で働きたいか」と質問した調査では、「現在の勤務先で働きたい」と答えた人の割合が16年では53.7%、21年では63.5%まで増加しています（図表4-3）。

　企業側の姿勢はどうか。6割以上の企業がシニアの採用に「積極的ではない」というデータが出ています（図表4-4）。理由としては「健康状態・体力が不安」「能力・スキルが不安」という声が目立ちます。これらは「シニア」という表層的な属性に対する印象によるところが大きいでしょう。同じシニアであっても体力やスキルなどの深層的なダイバーシティが存在することを忘れずにいたいものです。

　一方で**シニア採用を行う企業では「シニアしか知らないような知識や技術が役に立つ」「管理職経験者として若手の育成に貢献している」**といったポジティブな声が多くあります。シニア一人一人の潜在能力を公正に評価し、活かせる職場をつくることが大事です。

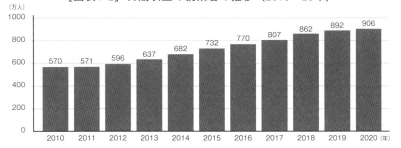

[図表4-2] 65歳以上の就業者の推移（2010～20年）

（万人）

年	就業者数
2010	570
2011	571
2012	596
2013	637
2014	682
2015	732
2016	770
2017	807
2018	862
2019	892
2020	906

※ 2011年は、東日本大震災に伴う補完推計値

出典：総務省統計局「高齢者の就業」（2021年）

[図表4-3] 定年後も現在の勤務先で働きたいか

質問：あなたは定年退職後も現在の勤務先で働きたいと思いますか。
お気持ちに近いものを1つだけお知らせください。（単一回答）
【対象者：定年退職する予定の人】

（年）	現在の勤務先で働きたい	現在の勤務先では働きたくはない
2021 (n=318)	63.5	36.5
2018 (n=278)	54.7	45.3
2016 (n=285)	53.7	46.3

■ 現在の勤務先で働きたい　▨ 現在の勤務先では働きたくはない

[図表4-4] シニア層の採用についてどの程度積極的か

質問：あなたの会社ではシニア層の採用についてどの程度積極的ですか。
以下に挙げる雇用形態別にお知らせください。（単一回答）

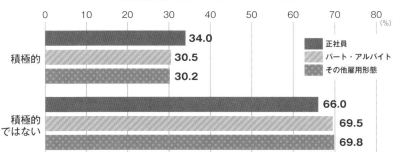

	正社員	パート・アルバイト	その他雇用形態
積極的	34.0	30.5	30.2
積極的ではない	66.0	69.5	69.8

どちらも、出典：ジョブズリサーチセンター「シニア層の就業実態・意識調査2021」（2021年）

◉シニアの働きがいのある職場

　私たち GPTW Japan が、日本における「働きがいのある会社」シニアランキングのランクイン企業と、不認定企業のスコアを比較して、特に調査項目の中で、差が大きいものを比べてみました（図表 4-5）。

　比較分析をすると、シニアにとって働きがいがある職場は、特に次の 2 点に集約されます。

仕事をきちんと認められ、然るべき報酬を得られる
上位者が信頼に足りる行動をし、意見を聞いていると感じられる

[図表4-5] シニアランキング ランクイン企業と
不認定企業におけるシニアのスコア平均の差が大きい設問

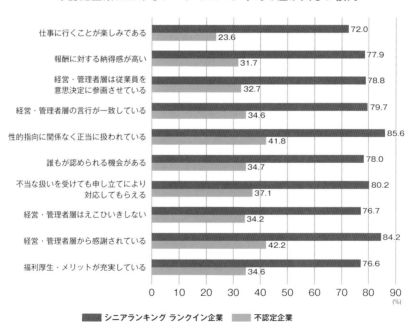

シニア世代は、上司も同僚も年下であるという環境に置かれることが多くなります。そうした職場において、自分の仕事ぶりや意見が忖度なく認められること、大切な職場の仲間として扱ってもらえることは、自己効力感を高めます。

　また、60歳以降に年収が下がる制度を取り入れている企業も多いため、自分の仕事ぶりに応じた報酬に納得ができることも大切です。

❯シニアと若手の学び合う職場にするマインドセット

　シニアの力を引き出すために、あえて若手との交流を促し「お互いから学び合う職場」をつくることも有効です。そのような体制が、「仕事を認められている」「自分の意見を上司も同僚も聞いてくれる」という本人の実感へと直結します。とはいえ、単純に若手とシニアを一緒にすればよいわけではありません。

　学び合う職場にするためには、若手、シニアとも特に次のマインドセットが必要です。

　若手　「シニアの経験から学ぶこと」「変な遠慮はしない」
　シニア「若手のロールモデルとして、強みを活かしながらチャレンジし続ける先輩として踏ん張る」

　そして、相互に学ぶ機会をつくることも大事です。たとえば「週に一度はグループ会で各自の仕事内容を具体的に共有する時間をつくる」などです。オンラインでも構いません。毎週決まった時刻に、定例で半年分など先まで設定しておくことがポイントです。

これを行う際は業務のアドバイス交換だけに留まらず、互いに働き方の悩みの相談を持ち寄るとよいでしょう。若手とシニアは「詳しい分野」も「ほしい情報」も、互いに異なります。

　たとえば若手は同じ若年層の価値観や、最新の IT 機器・ツールの使い方について詳しいものです。一方シニアは、蓄積された知識や経験を元にした判断力・解決力において非常に頼りになります。互いの得意領域が異なるため、相互に学び合えるというわけです。

シニアと若手が「学び合う職場」をつくった例

　シニア従業員の事例を紹介しておきましょう。

以下の事例は、「2022年9月5日付の日本経済新聞 電子版記事『肩書失っても営業が天職 20代と肩並べ ともに学ぶ』(https://www.nikkei.com/article/DGKKZO64036580U2A900C2TLD000/)」を元に作成しています。

　私の大先輩である、リクルートマネジメントソリューションズ営業部の山田雅之氏（60 代）の例です。氏は、20 〜 30 代の若手従業員たちと肩を並べて日々仕事にまい進しています。

　そんな山田氏ですが、かつては営業部のトップである営業統括部長でした。管理職を離れたのは 48 歳のことです。当時の上司から**ポストオフ**（定年前の一定のタイミングで役職を退任する制度）を通知されたのです。

　山田氏には当然ながら、長年管理職として成果を挙げ続けてきた自負やプライドがありました。部長時代には、部単位で過去最高の売り上げ実績を残した経験もあります。「突然引導を渡され、惨めで**格好が悪いとしか思えなかった**」、山田氏はそう述懐しています。同時に、重圧から解放されて安堵したことも事実だったようです。管

理職時代は、他部署や部下と衝突し、その調整に奔走し、常に悩みや心配、不安を抱えるなど、管理職としての自信をかなり失っていたからです。

　山田氏は複雑な気持ちのまま、営業の専門ポストに移ります。上司は自分よりも若い年下の部長でした。自分と同様の管理職経験者が集まるシニア従業員のグループに入ると「居心地はいいが会社にとって自分はもうそれほど役に立てない存在ではないか」という想いも湧いてきたと言います。

❷息子娘世代と働くグループに再編成されて……

　事態は2017年の組織改編で動き出します。自分の息子や娘と同じくらいの世代と肩を並べて仕事することになったのです。これには百戦錬磨の山田氏も世代間ギャップに対する不安が先立ちました。「過去に培った自分の経験や強みは、今の若い人たちには古めかしく受け取られるのではないか」「幹部クラスだった自分が何か意見するだけで、職場は萎縮し、硬直化するだけではないか」

　ただ、不安は杞憂に終わりました。山田氏の成功事例や、失敗談は若手従業員にとってはいいケーススタディーになったのです。「自分の経験を還元できる」、そう思った山田氏は働きがいを感じるようになったと言います。それからの山田氏は、大小さまざまなプロジェクトをより主体的に提案、展開し出すようになったのです。

　山田氏の本音で答えてくれる姿勢が共感を呼び、相談を持ち掛けられることも増えました。たとえば「顧客に悪く思われたくない」という若手に「配慮はしても遠慮はせず、言うべきことは言う」と伝えて寄り添います。等身大で実践的なアドバイスができるのは山

田氏の最大の強みです。

とはいえ、一方的に上から教える側になったわけではありません。山田氏自身も若手と話す中で、最先端のツールや、高効率なノウハウを吸収することができました。たとえば、顧客に提案するためのツールとして「若手が独自に編み出し、常用していた定型の資料を伝授され、活用するようになった」と言います。
「その定型の資料のおかげで、より深い部分で提案すべき内容が浮かび上がった。若手には感謝しかない」

❯ 他の職場にも波及した「学び合い」

やがて山田氏の回りには知識やノウハウのシェアの輪が広がっていきました。氏の部署は「学び合い、吸収し合う、多様な属性を持つ職場」へと変容したのです。それまでの自分のやり方や価値観を見直し、捨て去り、新たに学び直す。そんな氏の姿勢は**「アンラーニング」**そのものでした。

そして4年後の2021年、山田氏は継続雇用を選択されました。これまでの経験を踏まえて社内講座などにも登壇するようになり「年齢にかかわらず新たな挑戦を続ける大切さ」を発信し続けています。

「日々研鑽を積むことで、定年後のキャリアも開けていく」というのが山田氏の信条。将来、東南アジアの企業に営業することを目標に、仕事と並行して英会話の勉強を続けているそうです。

❯「ポストオフ」とは別の道への指し示し

今後も山田氏のようなシニア活躍の事例は増えていくことが予想

されます。言い方を変えると、あらゆる企業が「どのようにシニアに活躍してもらうか」を考え、仕事や職場を積極的に用意することが必須になってくるでしょう。

　その際にシニアだけを単独で取り込んだり、囲い込んだりするのではなく「若手とのコラボレーションの中で、職場をよりよくしていく」という観点で挑戦することが大事です。

　また、「管理職としてこれからの会社の方向性には合致しない」「管理職として期待する成果を出せていない」と会社側が判断した時は、**速やかにポストオフを提示し、別の道を用意することも大事**です。往々にして、ポストオフの判断をする役員層とシニアである部課長は同年代であることが多く、これまでの活躍を知る人間として心理的な抵抗があり、判断を遅らせている事例も見受けられます。しかし、それでは本人・会社、どちらにとってもよい結果をもたらしません。

　ポストオフを受けた本人は「管理職を外された」という認識があるかもしれませんが、そうではありません。**期待される役割がこれまでとは変わった**のだと捉えて、新しい環境で自分の力を最大限に発揮していただきたいと思います。なお、プレイヤーになった時に発揮できるだけの専門性は、管理職である期間中にも積み上げていくことが重要です。

　オフ後も活躍できるための等級制度や目標・評価制度を構築し、そしてその実績をつくっていく。そのような点も踏まえて「シニアが働きやすい職場」「シニアも働きがいが高い職場」を構築していきましょう。

シニアは、企業理念への共感と実践を体現し続けた存在

株式会社ディスコ（大規模部門／製造業）

特にシニア（管理職を除く 55 歳以上）の働きがいに優れた企業を選出する「働きがいのある会社」シニアランキングにおいて、2022年に大規模部門 1 位に選ばれたディスコ（102 ページ）。

同社は、シニアを企業理念への共感と実践を体現し続けた貴重な存在としています。

「シニアはディスコがまだ小さい会社だった頃からがむしゃらに何でもチャレンジしてきた存在」

そう言うのは、サポート本部人財部長の渡辺肇人氏。

シニアの働く姿勢や経験は貴重なものと考えているわけです。

そもそも、ディスコでは従業員の意志を重要視しています。簡単に言うと、社内を自由経済化しているのです。一般的には、仕事のアサインメントは会社や上司からの指示によりますが、同社では「Will」（意志）という単位で値付けされ、オークションなどで選ぶことができます。

仕事に必要な道具や材料、情報や場所も個人が Will で支払い、必要なものを必要なだけ調達します。個人単位での収支が明確になり、仕事の成果による売上から必要なコストを差し引いて毎月の収支が出されるのです。これにより、受益者のない仕事は淘汰され、リソースは適切な状態に収斂していきます。

当然「収支をよりプラスにしたい」という動機が働くため、コスト

は会社が指示しなくても自ら削減、効率化されます。また自らの価値を高めればより対価が多い仕事を得られるため、必要な能力向上のための自己研鑽がなされます。要は、同社では会社や上司が指示しなくても、全従業員が主体的にコスト削減や能力研鑽に取り組むという流れがあります。

　つまり「社内通貨 Will」によって、シニアや若手といった属性に限らず、全従業員が主体的に選択する仕組みが構築されており、働きがいも自ずと高まるというわけです。従業員が自発的に「自由に楽しく仕事をしよう」「全力で追求しよう」というマインドが根付いているように見受けられます。

　さらに、動画配信の施策もユニークです。同社では、社内独自の動画配信プラットフォームが運営されており、そこでも Will が報酬的な役割を果たしています。閲覧数等によって配信者に Will が支払われるシステムになっています。希望する従業員はその場で自由に発信し、報酬を受け取ることができます。

　もちろん、シニアも例外ではありません。たとえば健康管理の方法や、シニアとしての働き方、マネープランなどについて実体験を通じた発信をしたりしています。社内でセミナー講師を務めることもあるので、シニアと若手との学び合いが実現しています。

　年齢にかかわらず活躍できる環境こそが、シニアの働きがいに大きく寄与しているのでしょう。

14 / 若手の働きたくなる職場

「転職のハードルが低い」「自分らしい働き方を求める」若手

20代を中心とした若手が働きたくなる職場とはどのようなものか、探っていきましょう。

若手には、次のような傾向があると考えています。**「入社前は給与待遇といった働きやすさの面について、かなりシビアに見ている印象は強いが、入社後は自分らしく働けて、仕事に価値を見出せなければやりがいに繋がらない」**。

世の中にモノやサービスが溢れる今、特に若手においては「社会的価値」を重視する人が増えています。それは仕事に関しても同様で、次のような見方が多いようです。

経営層は何のためにビジネスをしているのか
自分の仕事が、社会にどのようなインパクトを与えているのか
（どのような社会的意義があるのか）
会社はどのような考え・価値観を大切にしているのか

❷転職のハードルが低い現代の仕事観

近年、転職エージェントの広告などで「あなたの市場価値をはかろう」というようなキャッチコピーをよく見かけます。**「自分を安売りしない」「我慢してまで働かない」**という若手の価値観にリーチしているのではないでしょうか（図表4-6）。

経営・管理者としては、若手のこういった価値観を受け止め、優

秀な若手を定着させる方法を考える必要があるでしょう。若手のやりがいにアプローチしつつ、市場価値が高まるように、力を付けてもらうことが大切です。

「そんなことをしたら、せっかく育った若手が転職してしまうではないか」という声が聞こえてきそうです。しかし、そのような姿勢で自分にかかわってくれる上司や会社に対して、ロイヤリティが高まる若手は決して少なくありません。**「我が社で働くことで、外でも通用する力がつきますよ。だから一緒に働きましょう」**。このようなメッセージをどのように発信するか。それは腕の見せどころです。

[図表4-6] 若い世代の仕事に対する意識調査

質問：あなたの仕事に対する意識について教えてください。（答えを１つ選択）n=200

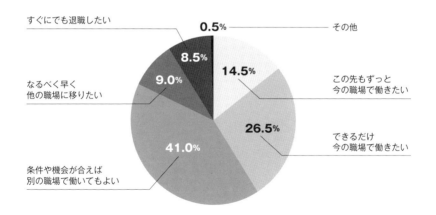

「この先もずっと今の職場で働きたい」「できるだけ今の職場で働きたい」の合計が41.0％。対して「条件や機会が合えば別の職場で働いてもよい」「なるべく早く他の職場に移りたい」「すぐにでも転職したい」の合計が58.5％。転職・職場の変更に抵抗は低いと考えられる。

出典：日経BP総研「『働きがい』に関する経営層と若手の意識調査」（2018年）

「若手が会社の理念を考える」施策の狙い

株式会社現場サポート（小規模部門／情報通信業）

　鹿児島市に本社を構え、全国の建設業者向けにパッケージソフトウェアやクラウドサービスの企画・開発・販売・サポートなどを行う同社。2023年版「働きがいのある会社」ランキングでは、小規模部門2位、さらに、2023年版女性ランキングでは小規模部門3位、2022年版若手ランキングでは小規模部門1位という優良企業です。

　同社は大きな苦難を乗り越えた上で働きがいのある会社になっています。ピーク時の離職率は27%。「当時、圧倒的に欠落していたのは"理念"でした」と代表取締役社長の福留進一氏は振り返ります。「『少人数の会社に理念は必要ない』と思っていましたが、理念がないと人は離れていくばかりだと思い知りました。それから理念とビジョンを明確にして、組織への浸透をはかるように、近年では最大で年86回、私が主催する勉強会で、繰り返し理念とビジョンの振り返りなどをしています」。

　その後、離職率は激減したと言います。

　特筆すべきは、経営理念をつくるプロジェクトに若手が参加している点です。2020年に設立15周年を迎えた同社はそれを節目と考え、従業員からの意見を集め、議論を重ねて経営理念を作成。その理由は「経営者がつくるのではなく、従業員が自らつくることに意味がある」という福留社長の思いからです。

　「自分たちでつくった理念だからこそ、本気になって叶えたいと思えるし、自分が何をすべきか見えてくる。これが若手の主体性の高

さに結び付いています。私たちの理念は『チームを活かす、だれもが活きる』です。私たちの中には、誰一人、不要な人はいません。皆、得意、不得意はありますが、それを補い合うことで前に進めます。どんな人でも、その人ならではの『輝ける場所』があるはずです。私たちはそれを見つけ出し、皆が活躍できる組織をつくっていきます」

また、若手の主体性が育まれる環境づくりを目指しています。たとえば入社2〜3年目くらいの若手は、どんどん手を挙げて公募型のプロジェクトに入るのが当たり前です。プロジェクトの推進にあたっては、必要なフレームワークの提示や管理職のフォローもありますが、あくまで若手が主体です。

若手の主体性を表す象徴的な例があります。
入社2年目、福岡県出身で、カスタマーサポートとインサイドセールスを担当している従業員が、ある時、社長面談で「6月に福岡に帰ります」と切り出しました。同社は福岡に拠点があるのですが、「福岡にサポートセンターをつくりたい」と言ったそうです。会社としても、サポートセンターが鹿児島と福岡の2拠点になれば不測の事態に備えられるため、プロジェクトとして取り組むことになるでしょう。

もちろん「若手の希望を100%必ず叶えられる」というわけではありませんが、「どんな人の意見・提案であっても歓迎する」「やりたいことが会社の戦略に沿うものであればどんどん任せていく」というのが同社の方針なのです。
若手の主体性の促進に繋がる貴重な事例と言えます。

❯やりたい仕事と強みのミスマッチ

　自分の成長に貪欲であったり、今の仕事にマンネリを感じ始めたりしたら「もっとこんな仕事をしてみたい」と意思表示をすることは大事なことです。しかしながら、その「やりたい仕事」と「自分の強みを発揮できる仕事」が同じであるとは限りません。

　企画部門へ異動を希望している営業職のFさんの例を紹介します。
　Fさんが営業職として好成績を出している場合、何らかの強みが発揮されていると考えられます。強みが「お客様とのリレーション構築力」だとしたら、企画部門に異動させても苦労する可能性があります。

　企画部門は、ゼロからイチを構想する力やデータ分析力といった能力を求められますが、そのような力が乏しい場合、パフォーマンスや評価が下がりかねません。

　会社としても、Fさんに企画職としての役割を期待するのであれば「強みをどうすれば企画部門でも活かせるか」という観点で検討すべきです。リレーション構築力だけでなく、お客様の議論を整理、分析して最適解を提案する能力に長けているのだとすれば、企画部門でも力を発揮する可能性は高まります。

　直属の上長のみならず、同じ会社の管理職がお互いに本人の能力の見立てを共有する場を持つことが重要です。

　検討した結果、営業職としてのキャリアを構築することがベストであるという判断もあり得るでしょう。もしくは、「異動は今ではなく、企画職で必要なデータ分析力を伸ばしたうえで、1年後に再

度、企画職として通用するかを検討・判断する」ことを、会社として合意することはできます。

　合意に基づいて、営業職の中で機会を最大限に与えることで、Fさんの能力を伸張させていく。こうした機会はFさんの潜在能力の最大化に繋がります。

　上司は、メンバーのキャリアの方向性と現在の能力、今後必要な能力について定期的に棚卸をして確認し、会社が求める成果と個人のキャリアを最大限に一致させていく努力が求められます。

事例25 「したいこと」「できること」を組み合わせて、「すべきこと」をつくる、能力を高める仕組み

株式会社キュービック（中規模部門／情報通信業）

2022年版日本における「働きがいのある会社」若手ランキング中規模部門で1位となったキュービック（116ページ）。同社の「若手の働きがいを高める取り組み」について紹介します。

同社は「従業員一人一人が、高い価値を発揮している会社が働きがいのある会社」と捉えています。「高い価値を発揮する」には能力と意欲の掛け算で生まれると考え、同社は「能力と意欲を高める取り組み」を両輪で回すことを重視していると言います。

「能力を高める取り組み」として、**「CDC」（キャリア・ディベロップメント・サイクル）** を回すことを実践しています。CDCとは、「強み・課題の見立て」「成長テーマの設定」を「目標設定／評価する」のサイクルの中に組み込むこと。そうすることで、メンバーの「ありたい姿を実現する」「仕事の経験を通して学び、成長する」ことを支援しています。

経営層はメンバーの強みや課題について徹底的に議論を重ねます。そして、議論した内容をメンバーにフィードバックし、次の半期の目標をメンバーと上長と議論しながら設定します。最低、月1回は上司と面談を行い「目標の進捗の確認」「強みを活かせているか」「課題を克服しているか」などを議論します。半期が終わったタイミングで振り返りをしてまた次に繋げる、そんなサイクルを回すのがCDCの特徴です。

従来は、会社からのやるべきこと（Must）という形で、メンバーに一方的に目標を渡すことが多かったはずです。しかし、Mustだけでは、本人のやりたいこととの不一致が起きたり、なぜやるべきなのか納得ができなかったりします。同社は個人のやりたいこと（Will）や強み（Can）を両方組み立てて、それを会社としてのMustに紐付けることを重視したことが、若手の働きがい向上に寄与したと言えるでしょう。

　ベースとしてはWillを目標と結び付けることを大事にしているのですが、若手は意外とWillを持っていないこともあるようです。その場合、Willを追求するよりはCanを伸ばす。そうすることで、成果が上がってくると自己効力感が自ずと増して、やれることも増える。さらに新たなWillが生まれたり、自律性が育まれたりするとのことです。

　また、同社の場合は、経営・管理者は経営情報の開示やアサインメントの背景の説明などを丁寧にすることを心掛けているようです。どんな会社でもアサインメントの際は背景があるはず。同社の場合は、背景はもちろん、そのミッションがその人に何をもたらすのか、どんな期待でアサインしたかまで説明しています。
　メンバー本人からは、見えてない景色があったり、見切りを付けてしまったりしている可能性があります。背景を説明することで、メンバーのステップアップに繋がることでしょう。

　同社のこれらの取り組みにより、若手は早い段階から能力を高めることができ、高い価値を発揮することができるのです。

4章のまとめ

1 多様な考え方を持つ人が集う職場では、違いを認め合うカルチャーの醸成が必要

- -

2 D&I促進で3つのメリットが期待できる。
　①人材獲得力の強化
　②リスク管理能力や監督機能の向上
　③創造性や革新性の向上

- -

3 ジェンダー平等な職場には、性別に関係なく、正当に扱われるカルチャーがあり、性差に寄らず働きやすい環境がある。しかし、出産や子育てなどライフイベントごとに女性は働きにくい現状がある。ジェンダー平等で働きたくなる職場のポイントは5つ。
　①ジェンダーにかかわらず働きがいが高い
　②女性管理職比率が、採用時の男女比率と遜色ない
　③ライフとワークのバランスをとれるユニークな制度がある
　④一般的には「女性のための施策」とされるものが性別を
　　限定せずに実施されている
　⑤若いうちから責任ある仕事、ポジションを与えられている

- -

4 シニアの働く意欲は増加傾向だが、受け入れる企業の準備が整っていないことも多い。知識や技術、若手育成への貢献など、シニア一人一人の能力を活かせる職場づくりが大事である

- -

5 「転職のハードルが低い」「自分らしい働き方を求める」若手に働きがいでアプローチする

5章

働きたくなる職場に変える
"私"の役割

15 始めはひとりでも、職場を変えられる

16 経営者は、職場をどうやって変えるか

17 人事は、職場をどうやって変えるか

15／始めはひとりでも、職場を変えられる

損なわれている「働きがい」、どう伝えるか

　最終章の5章では、職場を変える取り組みについて見ていきます。**働きがいが高く、財務的にも非財務的にも成長している企業ほど、あの手この手でさまざまな施策を仕掛け続けています。**言い換えれば、「人的資本経営にかかわる施策」を多様に打っているということです。どういうことか、具体的に見ていきましょう。

　「人的資本経営」とは従業員が持つ知識や能力を"資本"と捉えて投資の対象と考え、持続的な企業価値の向上に繋げていくという経営の在り方です。VUCAの時代に対応して企業価値を高めていくには、人材をコストや資源ではなく投資対象の資本とみなし、人材の価値を最大限にまで引き出す経営スタイルが求められています。

　2020年以降よく聞かれるようになった考え方であり、2022年は日本における「人的資本経営元年」とも呼ばれています。人的資本に関する情報は2023年3月期の決算から、上場企業などを対象として有価証券報告書による開示が義務付けられ「企業の将来性を判断する指標」として、投資家などのステークホルダーが注目する指標になっています。

❷人的資本経営が進展すると進化する「あるもの」
　「企業は人の集合体」ですから、従業員の力を高めることが企業の成長に繋がります。しかしながら、諸外国に比べて日本の企業が能力開発に投じてきた割合は低い水準です（図表5-1）。

人的資本経営が進展していくと「**会社と人材が互いに選び合う対等な関係**」「**自律的な関係**」**へと進化していくことが想定されます。**
だからこそ、優秀な人材を求め、定着を期待する企業ほど、人的資本経営を強化するような施策を意識的に打ち始めているのです。

[図表5-1] GDPに占める企業の能力開発費の割合

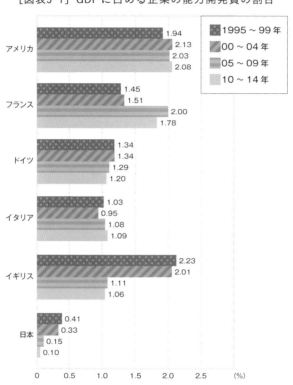

能力開発費は「OJT」（実際の職場で業務を通して行う教育訓練）は含まれず「Off-JT」（職場の業務から離れて、特別に時間や場所を取って行う教育訓練）の費用を指す。
企業に占める能力開発費の割合は、諸外国に比べて低い水準にあり、経年でも低下傾向。

出典：厚生労働省（内閣府「国民経済計算」、JIP データベース、INTAN-Invest database を使用して学習院大学経済学部宮川努教授が推計したデータより作成）「GDP（国内総生産）に占める企業の能力開発費の割合の国際比較について」（2018 年）

❷人的資本経営と働きがいを高める施策の関係

政府は対象企業に対して、「人材の多様性の確保を含む人材育成の方針」や、「社内環境整備の方針及び当該方針に関する指標の内容等」について、必須記載事項として開示を求めています。

なお、人的資本を豊かにした結果として、何を数値として開示するかはまた別の議論が必要です。他社と比較できる数値だけでは、自社が本当に大事にしている技術力や専門性は表現できないことが多いからです。

私たち GPTW Japan では「どの企業が、人的資本経営にまつわる施策をどの程度行っているか」について、独自に調査をしています。その施策とは**「従業員の能力を開発する施策」「女性管理職を増やす施策」「働き方の柔軟性を高める施策」**などです。

これらは働きがいを高めるために企業が行っている施策と一致します。つまり、**人的資本経営のための施策とはすなわち、働きがいを高めるための施策である**と言ってもよいでしょう。

何もしなければ、いい人材は他社に移ってしまいます。人的資本に積極的に投資をし続け、自社の働きがいを高めること。そしてそれを社内外に開示し、説明責任を果たし続けることは、今後の企業経営において非常に重要なアジェンダとなっていくことでしょう。

現時点では人的資本開示が求められていない中小企業においても、人的資本経営の重要性を認識し、従業員の働きがいを高めることに積極的に取り組んでいただきたいと思います。

❷働きがいを高める施策の数と売上の伸び率

人的資本にまつわる投資をすることは売上に影響があるのでしょうか。

データ分析の結果、人的資本にまつわる施策の数が多いほど、前年と比べて売上の伸び率が高いという相関関係が見られることがわかりました（図表5-2）。

因果関係が明らかになったわけではありませんから、業績がいいから施策を豊富に打てるのだろうという見方もあると思います。それもまた事実だと思いますが、業績が悪い時でも最低限の人的資本への投資はコツコツと継続すること、投資余力がある時には追加で施策を打つことが欠かせません。

3章にて働きがいを高めるために意識すべき5つのことをお伝えしましたが、次ページからは職場を働きがいのある場に変える取り組みを紹介します。

[図表5-2] 施策数別売上の伸び率

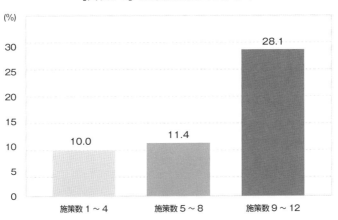

職場改革の４つの大きな流れと３原則

　さて、あなたが経営者、管理職（上司）、従業員（部下）、人事担当者など、どのような立場であるにせよ、「職場の問題の解決方法」や「どうすれば職場全体を巻き込めるのか」は大きな関心事でしょう。

　まずは職場改革の流れを確認します。次に、職場改革の時に守るべき３原則を参考に、取り組みを設計してください。

〈職場改革の４つの大きな流れ〉

１ 職場の調査・分析　→　206 ページ

客観的なデータによって、職場の問題を可視化、言語化する。第三者機関に「働きがい」について調査、分析を依頼することも有効。従業員にアンケートを取る際は「無記名」「忖度しない」「ベンチマークと比較する」こと。

２ 改革案の選定　→　209 ページ

調査結果に基づき、取り組むテーマを決め、改革案を選定する。「全社活動」と「職場活動」（部門ごと）の二本柱に分けて役割分担し、スケジューリングする。

３ 職場改革のストーリーを伝える　→　210 ページ

従業員全員に「自分ごと」と受け止めてもらえるよう、職場全体に「職場改革のストーリー」を伝える。その時に「数値」や「問題点」「対処法」「会社の未来図」なども織り込むこと。

４ それぞれの役割を全うする　→　211 ページ

経営者、管理職（上司）、従業員（部下）、人事担当者という立場ごとに、それぞれの役割・マインドセットを自覚してもらう。

〈働きがいのある職場を目指す3原則〉

その1 「働きがいのある職場を目指す」と宣言すること

会社側が「働きがいのある職場を目指す」と宣言することが第一歩。職場を変えることに無関心な従業員は、どんな会社にも一定数はいるものです。

しかし、会社側が責任を持って宣言をすることで、無関心な従業員でも関心を少しは持ってくれるかもしれません。ただし、いったん会社に期待をした場合、それが叶えられなかった時の失望や落胆は大きくなります。ですから、いったん宣言をした会社は本気で取り組むことが大事です。

その2 全員が職場に向き合い、役割を果たすこと

職場にはさまざまなポジション・役割の人がいます。経営者、管理職（上司）、従業員（部下）、人事担当者……、それぞれの人がそれぞれの力を発揮して職場に向き合うことが大事です。

その時に、自己視点のみならず「経営者」と「従業員」、2つの視点を持つことが大事です。「経営者（または従業員）は、職場をどう考えているだろうか」と俯瞰した視点でメタ認知することも有効です。

その3 「働きがいは権利」という考えを職場に浸透させること

「自分自身のパフォーマンスを最大化させるために努力すること」「自分自身の働きがいを高めようと試行錯誤すること」は、誰かに強要された"義務"ではなく"権利"です。

また「働きがいは権利」という考えが共通認識になっている職場では、相互に信頼感のあるコミュニケーションが取り合えます。

この3原則を職場内で共有し、折に触れて振り返ってください。

① 職場の調査・分析

　私たち GPTW Japan は「働きがい」について調査し、その結果を元に経営・管理者に詳細な報告や提案、コンサルティングなども行っています。職場に危機意識を持つ人事部から「経営陣の前で問題点を指摘してほしい」という依頼をいただくこともあります。その場合は調査のスコアを根拠にした具体的な分析と改善の方向性をお話しします。

　「課長クラスが最も働きがいが低い」「期待をすべき中堅社員のやりがいが低い傾向があり、離職リスクに繋がる」など、データから浮き彫りになる問題点を報告します。その時、経営・管理者に「感覚的にはわかっていたことを指摘された。痛いところを突かれた……」という表情をされることは珍しくありません。**「問題が可視化されて出てきたので、さすがに何とかしなければ」**という認識でいらっしゃるからでしょうか。

　まずは現実と向き合ってもらうことが必須です。そのために客観的なデータは力を発揮します。また、データだけではなく、その状況によって起こり得るリスクとセットで説明するのが効果的でしょう。

●問題をデータで見るべき理由

　職場の問題を客観的に見て、その上で建設的に「我が社の連帯感を高めていこう」「公正な評価制度づくりに着手しよう」というような具体的なターゲットを議論していただく流れが理想的です。
　一方、現実の直視や現状改善の提言もなく「理念経営を実現しよう」という抽象的なゴールだけを掲げても、従業員に納得されにくいものです。「理念を掲げる前に、現場の働きにくさを理解してい

ない」などと反発を買ってしまうことがあるからです。

　この場合「0からプラス」に働きがいを高めることを目指す前に「マイナスから0」へと整備するための問題を洗い出して直視しましょう。そのためにも調査はできる限り従業員全員を対象に行うことを推奨しています。

❯ 働きがい調査・分析のポイント

　職場全員で現状を確認する際は個人の主観的な見方だけで判断しようとしても議論が上手くいかないことが多くあります。なぜなら「果たして本当にそうなのか」を示す事実がないからです。だからこそ共通の指標にできる数字やデータで現状を可視化することです。

　どうやって職場の分析をすればいいのでしょう。簡便に確認するのであれば、97ページの働きがいをセルフチェックしてみることです。ただし、これは働きがいを測るうえで重要な項目のうち、ごく一部であることには注意が必要です。本格的に職場の実態を確認するのであれば、網羅性と信頼性があり、ベンチマークも取れるアンケートを、フルバージョンで行うことをおすすめします。

　アンケートを行ったら分析、共有して、忌憚なく意見を交換することで、職場内の問題があぶり出されていきます。なお、調査を行う上で押さえておきたい点が3つあります。

　1つめは、「無記名」であること
　2つめは、「忖度しない」としっかり通達すること
　3つめは、「ベンチマーク」と比較すること

　次ページから順に解説します。

◉ 調査で押さえておきたい３つのこと

１つめ、「無記名」であること。

　個人を特定できないスタイルの調査（アンケート形式など）であることが必須です。記名式や属性情報（性別、年齢など）で簡単に個人が特定できてしまう場合、職場の問題について率直に意見することを躊躇してしまうものだからです。「批判的な回答をしたら、経営・管理者に目を付けられて評価を下げられる」そんな考えがよぎった途端、何も答えられなくなるでしょう。

２つめ、「忖度しない」としっかり通達すること。

　会社や上司への批判はご法度という会社では、この手のアンケートで本心は書かないものです。しかし、それでは職場の実態がわからなくなってしまいます。結果的に職場改善に繋がらないため、忖度はいい結果を生みません。

　アンケートを主宰する部署（人事部等）や経営者からは「決して、忖度はしないでほしい」「本音で答えてほしい」ということを繰り返し、しっかりと伝えることが大事です。

３つめ、「ベンチマーク」と比較すること。

　自社独自にアンケート項目をつくって調査するというお話をよく聞きます。確認したい項目を経年比較するという点ではよいと思いますが、ベンチマークがあるかないかで結果の解釈が異なることを知っておいてください。

　ベンチマークとの比較から強み・成長の機会を整理し、その要因を考え優先課題を決めます。働きがいが高い企業と比べて、自社の強みと弱みを客観的に把握することは、今後の人的資本経営においても重要です。

② 改革案の選定

　調査・分析結果が出た後、全社向けに調査結果の概要を共有することが重要です。ただし全ての結果を事細かく共有する必要はありません。ポイントを絞って「ベンチマークと比較した際の強み・成長の機会」や、２年以上実施している企業であれば「昨年から今年にかけて実施した施策の効果が表れているか」を中心にフィードバックしていくとよいでしょう。

　次に、全社活動と職場活動（部門ごと）の内容を決めていきます。取り組むテーマをレベルに応じて固め、各自の役割とスケジュールを明確にしていきましょう。

　自部署の取り組むテーマを具体化するために、管理職を集めたワークショップなどを開催することも有効です。活動内容と役割・スケジュールを大まかに決めてから、全社に対して調査結果と共にそれらを共有する企業もあります。

　また、**働きがいの調査・分析は単発的ではなく継続的に行い、職場の実態を定点観測することに意味があります。**
「我が社はベンチマークよりもいいスコアだった」「働きがい認定を取得できた／ランキングにランクインできた」となればそれは素晴らしいことです。一方で従業員の意識は刻一刻と変わるものなので、一度の結果を過信しすぎないことも大切です。

③ 職場改革のストーリーを伝える

　従業員の働きがい調査・分析で取り組むテーマを固めたら、間髪を入れずに施策を打っていきましょう。その時に大切にしたいことは**「従業員との対話」**です。

　職場の働きがいの問題ですので、旗を振る役割は管理職や人事部が担うことが多いものですが、実際の施策には従業員全員で取り組みたいところです。自分ごとと受け止められるようなコミュニケーションを取る必要があるのです。

　大切なのが、**「改革のストーリー」**を等身大で職場全体に伝えること。**改革のストーリーとは、「問題点」「対処法」「会社の未来図」などが織り込まれた職場改革への想い**です。

　どのようにストーリーを伝えるか、例を紹介します。

　「調査の結果、『会社の方向性がわからない』『一体感が感じられない』と感じている従業員が多いという課題が浮き彫りになりました。この1年を通してその点を改善していきます。具体的には、まず当社のビジョンやバリューを皆さんと共にいちからつくり、日頃の仕事でも感じられるような仕組みづくりを進めていきます。皆さんが真に共感できるビジョンやバリューをつくり、誇り高く仕事ができるようになることを目指します」

4 それぞれの役割を全うする

　では、職場にいる人が働きがいのある職場を目指して改革に携わっていく場合、どのような役割を担えばよいのでしょうか。それぞれの立場ごとに見ていきましょう。もちろん、立場ごとに役割も、求められるマインドセットも異なります。

❯経営者

　経営者のコミットなくして、働きがいのある職場は成立し得ません。「業績を上げること」と同じ熱量で、職場にいる一人一人の働きがいを高めることを重視し、それを折に触れてさまざまな形で従業員に向けて発信することが望まれます。（詳細は 218 ページ）

❯管理職

　職場メンバーの働きがいの状態に心を配り、「自分たちの職場では何を大事にして、何を改善して、働きがいを高めていくか」を、職場全体で話し合うように主導します。内容は「職場の目指す姿を議論する」「目指す姿に向けて、現状の問題点を抽出する」「解決策を考える」などです。

問題点の抽出には、私たち GPTW Japan の調査結果など、定量的に可視化できるものがあると議論がしやすいでしょう。「話し合って具体的な目標や行動を決め」「達成度について定期的に確認する」というサイクルを繰り返すことが重要です。

　こうした話し合う機会を 3 〜 6 ヶ月に一度の頻度で設定し、「職場風土を変える」という意識を持ち続けましょう。議論の場は管理職がファシリテートするのもよいですし、メンバーの中で自身の右腕となる部下に場を仕切ってもらうのもよいでしょう。おすすめは後者です。管理職の発言で全てが決まることのないよう、メンバーの主体性を引き出すことが大切です。基本的には「自由に発言する」というスタイルでよいのですが、アジェンダ（議題やテーマ）は事前に規定しておきたいものです。

❷従業員（部下）

　働きがいを高める職場をつくる主体者です。「誰かがよくしてくれる（改善してくれる）」という受け身の姿勢ではなく「自分がよくしていく」という姿勢でかかわりたいものです。
　社会人経験の浅い新入社員でも「与えられることをじっと待つ」のではなく、職場の一員として、自分から主体的にかかわっていき、職場を働きがいの高いものに変えていきましょう。

❷人事担当者

　その会社ならではの「人材マネジメントポリシー」を策定し、行き当たりばったりにならないようにしながら、次々と「信用・尊重・公正・誇り・連帯感」に寄与する施策を打ち出しましょう。
　たとえば、「従業員に成長を求めます。同時に、成長の機会は会社が用意することを約束します」というポリシーを決めます。そし

て「抜擢人事」や「自己申告制度による異動の仕組み」「昇格時・異動時に必要なスキル・スタンス研修」、継続的に学び続けられる施策としての（単発ではない）「オンライン型のビジネスカレッジ」などを構築します。その上で、人事制度としての評価・等級・賃金制度を全従業員に開示できることが望ましいです。「どのような仕事ができればどの等級に就くことができ」「報酬はいくらか」ということを周知するのです。さらに、昇格だけでなく降格の基準も明示し、基準に満たない場合はポジションの変更が柔軟に行えるようにしておきましょう。

　このように、ポリシーを基に設計された具体施策を用意することは、前述した職場改革のストーリーを裏付けたり、補強したりすることにも繋がります。それらが「従業員にどのように受け止められたか」「どのように活用されたか」「結果としての働きがい向上にどのくらい寄与したか」をモニタリングしましょう。

　また、人事担当者（部門）の大きな役割として「採用」と「企業規模拡大時における働きがい低下への対処」があります。採用においては、「その会社ではどんな人が活躍しやすいか」を経験則に頼るのではなく、言語化・データベース化していくことが求められます。企業規模が拡大する中では、管理職を強化しながら、人事制度を整えていくことが欠かせません。あとの項目（230ページ）で詳しく説明します。

職場改革は、従業員ひとりからでも始められる

「上司・部下間」「同僚間」などのさまざまな場面で、個人レベルでできる職場改革について考えていきましょう。

まず大事なことは**「職場を働きがいのある状態にするのは、個人レベルからでもできる」**と認識することです。発起人はひとりでも良いのです。ただし、ひとりで全てを行うのは無理が生じてしまいますので、そこからいかに賛同者や仲間を増やすかがポイントです。

❷独力の限界を知る

会社や職場の規模にもよりますが、職場改革に向けてたったひとりで、調査・分析、施策検討などをするのは困難が伴います。偏りのないデータ収集や多面的な分析・検討に多くの時間がかかるからです。仲間と共に改革を進めることで独りよがりではない練りこまれた改革案に仕上げていくことが可能となります。

独力での影響力の限界を知り、改革の伝播を設計していきましょう。基本的に、何かを変えていく際には「上から下へ」がセオリーです。まずは仲間を募り、経営者に相談することが有効です。

マネジメントの世界では、**「スパン・オブ・コントロール」**（管理限界）といって**「1人の管理職が同時にコントロールできるメンバーの人数は5〜7人が最適」**とされます。この原則を応用すると、ボトムアップで変化を起こしていく場合でも、その単位で協力者を募り、配置するようにムーブメントを設計していくとよいでしょう。

❷同志を募り、働きがい改革のムーブメントを起こす

声をかけるには、賛同してくれる人がいそうなコミュニティに発信してみるのもよいでしょう。閲覧者が限定されており、特定の他

者は見ていないと思われる空間がベストです。たとえば社内SNSに書き込むのは有効です。もし、社内SNSがない場合は「社内SNSを立ち上げましょう」というところから発信するのもよいかもしれません。

　もちろん、ネット上ではなく、心を許せる同僚やななめの上下関係の人と実際に会って話をすることも有益です。そこで有志が何人かいれば情報交換をしたり、実際に「上司（担当部署）に意見具申してみよう」という流れになったりするかもしれません。

　社内の働きがいが低くなっている原因の全体像を捉えることができたり、関係者それぞれの主張を把握できたり、視野が広がることでより価値のある提案ができるようになるはずです。

　理想は、そのようなアウトプットやインプットを経て、早々に管理職を味方に付けること。そして、管理職と一緒に小さくてもよいので成功事例をつくり、会社にそれを"横展開"していくことを提言できれば最高です。経営者や人事部がその価値を認めてくれれば、それはやがて全社的な活動へと繋がっていくでしょう。

　最後に、内海産業の長野社長（66ページ）が、働きがい改革プロジェクトメンバーに語った言葉を紹介します。
　「『2：6：2の法則』に当てはめた場合、このプロジェクトメンバーは先頭の2割の集団にいます。後ろの2割の温度差に気を取られすぎたり、または6割が動くのを待っていたりしたら前に進むことはできません。どんどん突き進んで行けば、みんなが必ず付いて来ると信じて前進してください」

「職場を変えたくない人」をどうやって巻き込むか

　職場改革の「事前に想定される壁」について見ておきましょう。具体的には「反対派をどう巻き込むか」についてお伝えします。

　会社・職場に合った改革を続けていくことが大事であるとお伝えしましたが、施策に対する現場の反応・効果のほどはその都度しっかり確認しましょう。反応が悪かったらやり方を変える。効果が出なかったらその要因を分析して打ち手を見直し、調整するなりしましょう。

❯ 職場改革の火を妨げる存在

　働きがいのある職場にしようと熱意を持って改革していく時、必ず行き当たるのが「変化を拒む人」の存在です。変化を拒む人はどんな会社にもいます。次のような考え方の人もいることでしょう。

「ただでさえ大変なのに、余計な仕事はしたくない」
「改革に与すると、誰かと軋轢が生まれ兼ねないと気にしている」
「会社・職場に興味がなく、改革に乗り気になれない」
「職場の問題は上層部が取り組むもので、私ではない」

　改革に反対する人の意見に共通して見えるのが**「改革のメリットに納得していない」「会社・職場とその人たちの間に信頼感が乏しい」**ではないでしょうか。

　その不足している部分にアプローチするコミュニケーションをしていきましょう。

❷職場改革は、それでも全員で取り組む

最も有効なのは「あなたが日頃抱いている不満を解決するチャンスである」と思ってもらうことです。また「未来志向でその改革によるメリットを数多く見せていくこと」、そして「そこに向けて今、少しだけ大変かもしれないけれども、あなたにこそ、この改革に協力してほしい」と伝えてみましょう。

無関心ではなく、反対意見を表明してくれることはありがたいことと受け止めます。反対意見の真意をくみ取り、働きがいを高めるための方法を一緒に考えてもらえるよう、巻き込んでいきましょう。

もちろん、反対派に無理に迎合する必要はありません。ですが、その人たちの意見に耳を傾け、尊重して相手の話を理解し、関係を深めることが大事です。決して、反対派とのコミュニケーションを諦めたり、距離を置いたりしないでください。頭では改革の必要性を理解していても「心情的に許せないこと」「納得できないこと」があって反対していることが多いものです。

議論が平行線で終わってしまうのであれば、必要に応じて飲み会などの別の場で本音を聞き出すこともよいでしょう。自分からアプローチしても本音を聞けない場合は、その人が本音を言いやすい第三者に協力を依頼するのも手です。職場改革を成功させるためにも、普段からコミュニケーションを活発に行うこと。そして、反対派に対しても諦めずにかかわり続けることが重要です。

16／経営者は、職場をどうやって変えるか

経営者が「働きたくなる職場」に改革する方法

　経営者は働きがいのある職場をつくることにコミットしてほしいと書きましたが、では具体的にどのように職場を改革していけばよいのでしょうか。

　経営者に求められる役割とは、「（お題目としてではなく、経営の必然性として）なぜ、働きがいを高めたいのか」を考え抜き、あるべき姿・目指したい職場の状態をビジョナリーに設定することです。

> 今、外部環境や会社の現状をどのように捉え、さらに未来をどうしようと考えているか。その文脈において従業員に何を期待するか
>
> 仕事にどんな意義や価値を感じ、やりがいを持ってもらいたいか

　これらを、意図や背景と共にどれだけ熱量を持って全ての従業員の心に届くように伝えられるかがカギとなります。その内容を年に1回や半年に1回、発信するだけでは足りません。頻度高く、さまざまなスタイルで考えを従業員に伝えていくことが重要です。

　実際、コロナ禍ではリモートワークのメリットを活かし、オンラインで全従業員に対して気軽に、頻度高くメッセージを発信する経営者が増えました。半年に1回だった全社集会を3ヶ月に1回にしたり、社長が週に1回〜2週に1回の頻度で話す30分程度のコンテンツを企画して、誰でも参加・退出自由で全従業員にメッセージを発信したりと、各社が工夫をこらしました。また、オンラインで配信した動画は録画してアーカイブ化し、リアルタイムで視聴でき

なかった従業員はあとでいつでも見ることができるという利点も生まれました。これは素晴らしい変化だったと言えます。

●経営者の仕事は「任せること」

経営者が、職場改革に本気でコミットすることは必須ですが、事細かく、現場に介入するのは現実的ではありません。その役割は、人事部や経営者直轄で発足させたプロジェクトチームなどにおいて戦略的に担ってもらいましょう。人事部やプロジェクトチームに具体策の検討を指示したら、経営者は考える方向性に合致しているかという点を注視し、あとのことはできる限り任せていきましょう。提案しても結局、何も通らないようでは、プロジェクトメンバーは疲弊するだけです。施策を実行する際には**権限委譲**を行うことも必須です。

職場がどうやったら働きがいに溢れるものになるかをチームで検討して、実際にチームが主導で進められるよう、環境を整えるのが経営者の仕事です。具体的には、予算の権限と現場での判断の権限を与えることが大切です。もちろん、予算は無尽蔵ではありませんが、現場で必要だと判断した内容については、予算の範囲内でスピーディに実行してよいという権限をプロジェクトチームに付与しましょう。権限委譲は、チームを自律的に考え、提案し、実行していく職場に変えていきます。

経営者によっては、「働きがい向上プロジェクトから上がってきた企画については、コスト的な観点だけはチェックするものの、それ以外はほぼ全件了承している」という方もいらっしゃいます。プロジェクトメンバーの自主性を重んじているからできること、そして自社の従業員を信頼されているからこそできることです。

●「権限委譲」とセットで行うこと

「権限委譲」と同時に**「情報開示」**も大切です。

なぜなら、職場の実態を知らずして真の改革案は出せないからです。たとえば、働きがいの現状を可視化した調査結果は幹部役員にしか開示せず、従業員には情報を公開しないという企業もあります。

確かに、部署別のデータなどの詳細は、犯人捜しや特定部署を批判することに繋がり兼ねない恐れがあります。しかし、情報がなくては現状分析ができず、よい施策も生まれません。働きがいのプロジェクトメンバーには詳らかにしていくのがよいでしょう。

また、今後どのような経営戦略を取っていこうとしているのか、そこに向けて、どのような働き方を従業員に求めたいのか、現時点のイメージでよいので、経営者が考えていることは率直に共有すべきです。それらは、現在地点を正しく知り、問題を分析し、課題を設定する上で欠かせない情報だからです。

●働きがい改革で失敗しがちなこと

職場改革を行う際の注意点に触れておきます。改革を行う際に失敗しがちなこと、それは**「社内での信頼関係が構築されていない状態で、社内行事やイベントなどを突然行うこと」**です。

たとえば、社内の人間関係がさほどよくない(むしろギスギスしている)状態を憂いた経営者が、コミュニケーションを活発化させようと施策を打つとします。「社内運動会を行うので、各部署それぞれ準備をしてください」と突然告知をして、従業員同士が緊張したまま運動会に臨む。運動会は全体的に「やらされ感」「諦め感」が漂い、盛り上がりも見せずに不発に終わる……。現場からは反感

を買うだけでなく、改革反対派が増える可能性も十分に考えられます。

　まずは、信頼関係という土台を築くことが先決です。そもそも、人間関係がよくない要因は何かをまずは見極める必要があります。

【職場の信頼関係を見極める例】
同一の職場内での関係性はよくても、部門間の利害が対立して部門間連携がなされていないのではないか
職場の管理職が多忙すぎてメンバーの育成に手が回らず、メンバーへの期待を言語化できていないのではないか
気軽に相談できる関係性をつくれていないのではないか
自分の仕事に精いっぱいで、同僚の仕事ぶりに関心を持てていないのではないか

　要因はさまざまです。それらの要因分析を行い、信頼関係を構築するための施策を具体的に打ちましょう。

　大事なことなので繰り返しますが、働きがいを高めるうえで「信頼関係」は全てのベースです。経営・管理者と従業員の間にある信頼関係のどこに綻びがあるのかを特定し、職場の信頼関係を強固なものにしていきましょう。
　次ページでは、権限委譲を上手く行っている事例を紹介します。

働きがいのある職場への進化に導いた、求心力と遠心力

スローガン株式会社（中規模部門／サービス業 [他に分類されないもの]）

　前述したように3ヶ月毎の「キャリアアンケート」などでサプライズ転職・退職を解消させたスローガン（86ページ）。会社の規模拡大時に同社がどのように改革を行ったのかその歴史を振り返ってみましょう。創業社長の伊藤豊氏は次のように述懐します。

　「社員が30人くらいまでは、よくまとまっている組織でした。しかし、そこから組織を大きくする過程で少し苦労しました」

「この会社はいい人が多い。それにミッションも素晴らしいと思います」、そう言いつつ辞めていく人が少なからずいたのだそうです。推察するに、ミッション実現に向けた戦略を伝えるコミュニケーションや、実現に貢献する手応えなどが不足していたのでしょう。

　そこで経営者層は「ミッション＋エンパワーメント」を強く意識し、権限委譲をさらに進めて事業責任者に任せる職場運営を模索しました。結果、全体で約80人の規模になる頃には、セクショナリズムではありませんが、社内に小さい会社をいくつも抱えるような状態へと成長したのです。

　社員が100人を超えた頃からは「権限委譲による"遠心力"と、スローガンのコアの部分で繋がる"求心力"のバランスを考えるようになった」と伊藤社長は振り返ります。求心力を高めるため、同社はビジョンやカルチャーの言語化に力を入れたのです。さらに新卒のオンボーディングのタイミングで、ビジョンやカルチャーを共有するためのグループ・セッションなどもしています。このようにし

て、同社は 100 人の壁を越えることと働きがいのある職場への進化を両立させたのです。

　また、スローガンといえば、よく知られているのは学生インターンが、常時 50 〜 100 人活躍している点です。「学生インターンにどんどん仕事を任せて成長機会を与える」という企業風土は創業時からです。同社が新卒採用を始めたのは創業 3 期目からですが、それと並行して毎年 50 人以上、多い時は 100 人ほどインターンを受け入れています。

「取締役 執行役員COOの仁平理斗（2023年3月から代表取締役社長に就任）は当社のインターン時代、大学で見つけた学生を何人かスカウトしてきたことがあります。彼に人事権を与えたわけではないのですが、チームの予算を達成するにはデザイナーが必要だと考えて採用してきたわけです。『ある意味、彼は社会人より優秀だ』と当時思ったのです」

　このように「通常は若手にそこまで任せられない」という領域にも権限を与えるのがスローガン流。実際、若手登用によるメリットは数多くありました。筆頭に挙げられるのが、イノベーティブなサービスを生み出せたことと言います。

　HR クラウドサービスなど、若手の発案から生まれた事業もあります。「リスクレビュー制度」や「IT 統制の仕組み」をつくったり、「コンプライアンスやリスク評価」は事業責任者や本社でもカバーしながらも、大胆に権限と機会を与えることが、若手の能力を引き出すことに繋がり、事業を拡大させるには必須です。

17／人事は、職場をどうやって変えるか

人事の「働きたくなる職場」づくり戦略

　人事担当者の職場改革について、まずは「採用」を入口としてどのように実現するのかをお伝えしたいと思います。

　働きたくなる職場づくりにおいて重要なことは、新卒採用・中途採用いずれにおいても、**「能力・実績がほぼ同レベルなら、企業カルチャーへのフィット感が高い人のほうが優先される」**ということです。

　集客プラットフォーム事業を展開する株式会社あつまるの代表取締役社長・石井陽介氏も「同じくらいの能力の人がいたら『この人と共に働きたいと思える人』を採る」と公言されています。詳細は、次の事例で紹介します。

　多くの企業は、職場のカルチャーを暗黙知のままにしていたり、無自覚であったりします。そのような場合は「学歴」や「前職での経験」「面接官との（たまたまの）相性」で採用が決まる、というのが現実です。

❯働きがいのある職場の採用基準
　採用の観点は経験則や直感だけに頼るのではなく、「どのようなポテンシャルの人が、職場で活躍しやすいか」を客観的に考えましょう。それには採用のデータベースを構築していくことが有効です。「採用時の適性検査結果」や「面接官の所感」、さらに「入社後の評価データ」などをそのデータベースに溜め込んでいきます。蓄積

されたデータをもとに客観的に分析するのが理想的です。

　学歴や採用担当者の経験則ばかりに頼っていると、これまでと似通った人材ばかりになり兼ねません。多様性の観点では好ましくなく、イノベーションの土壌が育まれるとは考えにくいのです。

　会社独自の「フィルター」を言語化して設けておくことも有効です。たとえば、私たち GPTW Japan の場合は、ミッションに共感できることに加えて「人や組織に関心があり、働きがいを高めたいと思う原動力があること」を採用の最重要条件としています。それぞれの会社の性質上、求められるスキルやスタンスを言語化しておき、どのように確認するか、なども明確にしておきましょう。

　言語化できたのであれば、面接でじっくり対話をしましょう。最近では中途採用においてカジュアル面談を活用する企業が増えています。正式な選考の前に、お互いのカルチャーフィットを見極めるよい方法だと思います。面接や面談の場では、お決まりの通り一遍の質問だけではなく、**その人の体験に隠れている「判断基準」や「労働観」「どういう企業風土、周囲との関係性であれば力を発揮できるのか」をしっかりと見極めていきましょう。**

　採用についての留意点を総括しておきます。
　まずは、採用時に優先すべきことを明確にします。それは能力や経歴だけでなく、職場カルチャーや価値観への共感を前提にするということです。その上で、多様な属性の人材を採用しましょう。面接の段階では、お互いのカルチャーフィットを見極める対話をしていきましょう。

「夢見るいいやつ採用」が、スローガン

株式会社あつまる（小規模部門／情報通信業）

　新規見込み顧客や、就活生が集まるようにする「集客マーケティング」と「新卒採用マーケティング」のサービスを提供する企業のあつまる。2023年版「働きがいのある会社」ランキングでは小規模部門1位に輝きました。企業理念が徹底され、若手リーダーが次々と生まれていることでも知られています。

　活躍している従業員のバックグラウンドはさまざまです。会社の経営計画と個人のビジョンを連動させる「個人ビジョン経営」を実践するなど、多様なビジョン実現の応援に熱心な企業のひとつと言えます。

　まずは、同社の採用がユニークです。採用基準は集客の知識や経験、スキルなどよりも「価値観や人生観が会社と合うかどうか」。また、人柄にもこだわっています。「夢見るいいやつ採用」というスローガンを掲げているほどです。「夢見る」とは、その人の世界観が広く、ビジョンが大きい状態を指します。「いいやつ」とは、裏表がなく、人として信頼できる、真摯な人間性を指すと言います。

　このように、採用スローガンをわかりやすく定義されています。代表取締役社長の石井陽介氏は次のように明言しています。
　「私自身が『応援したくなるような夢を持っている人』と働きたいし、『従業員の幸せ』を軸に組織をつくることが使命だから」

　このスローガンは「若手が活躍できる会社」という同社の理念に

も合致しています。また、「入社後の、人材と会社のミスマッチが起こりにくい」という効果があります。

　さらに、同社は選考にかかわる人は社長や採用チームだけでなく、全従業員が採用イベントの企画・運営・集客など採用プロセスのどこかに関与しています。そのため採用のみならず、所属している従業員にも「夢見るいいやつ」という理念が、浸透することと推察できます。つまり、採用活動を通して企業カルチャーを絶やさず、醸成し続けることができる、そんな副次的な効果もあるのでしょう。

　しかしながら、このような理想的な採用活動に至るまでは順調ではなかったようです。その背景には、石井社長の苦い経験があったと言います。石井社長が同社設立前につくった会社にいた時は、「人よりも数字を見ていた」と述懐されています。

　「当時、別会社でトップだった私は、従業員とはコミュニケーションをろくに取っていませんでした。『結果を出せればなんでもいい』と思っていたからです。その結果、従業員から反感を買ってしまい、分社化して今の会社をつくりました。私についてきてくれた従業員は45人中10人。それでようやく目覚めたのです」

　それからは従業員の幸せを追求する会社を目指すようになります。「GPTWの調査に参画し、年々スコアが向上していることを嬉しく感じています。その一因は『採用活動』の重要性を見直し、考え方を改め、施策を打つようにしたことにあるでしょう。今では面接の場でも求職者の皆さんに対し『社員の幸せを追求している会社』と堂々と発言できるようになりました」

　従業員との摩擦、衝突に悩む経営者には、石井社長の"採用改革"の具体例が参考になるはずです。

就活・転職と採用から始まる「働きたくなる職場」

就活生（転職者）目線からも、働きたくなる職場について見ていきましょう。あなたが人事・採用担当者や面接担当者（面接官）の場合は、採用面接での対話のヒントにしてみてください。

私はよく、就活生へのメッセージとして**「自分がどういう職場だったらフィットするかを言語化しておくことが大事」**と伝えています。「福利厚生」や「初任給」「転勤の可能性がある地域」などを見ておくこともよいですが、それ以上に「企業カルチャーが自分に合うか」が、自分の能力を最大限に発揮できるかどうかを左右するからです。**合っていない職場で我慢をしながら働き続けるほど、本人にとっても、職場にとっても不幸なことはありません。**

たとえばTさんは、さまざまな職場を見ていて「早く成長したいので、優しすぎる職場ではなく、厳しい環境に身を投じたい。できないことはどんどん指摘してほしい」と言いました。

私は、彼に「それが会社とフィットする上で大事な、自身の価値観ですよ」と伝えました。Tさんらしい働きがいのひとつの側面を見つけたわけです。

これが入社後に気が付いた場合はどうでしょうか。何をしても褒めてくれる上司や先輩、ほどほどにしか頑張っていないように見える同僚を見るたびに、会社に嫌気がさしてしまうことでしょう。

❷紙とペンを持って、自分らしさを表してみよう

「どういう会社にフィットするか」、実際に紙を用意して書き出してみましょう。考え方はこれまで選んできた会社の特徴を思い出す

ことです。たとえば、「学生時代の部活やサークル、バイト先の雰囲気」「先輩やゼミのOB、教授などとの上下関係の程度」「飲み会やイベントの頻度や程度」などを思い出し「どういうものが合って、合わなかったのは何か」「それはなぜなのか」ということをじっくり考えてみましょう。

　転職希望者であれば、「自分が望む職場」「嫌な職場」はどういうところか、「自分がこれまで集中できた場所はどんな環境か」「自分を引き出してくれた人はどんな人で、どんな人と一緒にプロジェクトに取り組みたいか」なども考えましょう。まずは自由に気持ちを書き出してみてください。

【例】
「誰でも気軽に意見が言える職場が合うだろう」
「明るい雰囲気がいいなぁ」
「チームプレイが多い職場に行きたい」
「めいっぱい働いて実績を上げると給料も高くなる職場がいい」
「ノルマや締め切りに厳しいと緊張するからダメだ」

　前述のように、働きがいのある会社は、特に企業カルチャーをとても大事にしています。また、それを色濃くするために日夜、努力を積み重ねて採用に臨んでいます。一方で就活生・転職希望者自身も、自分の性格や資質、能力だけでなく、価値観、バックボーンなどを言語化しておくことです。そうした努力を重ねた両者（会社と求職者）が出会った時、お互いの見極めがとてもスムーズにいくことでしょう。

　どういう職場でどういう人たちと働くのか。自分にとって働きたくなる職場とはどういうものなのか。大事に選んでください。

会社が大きくなると、働きがいを高める難易度が上がる

　最後に、人事担当者が担う職場改革の重要な役割として、会社の規模が拡大する中でどのように働きがいを高めていくことが有効かを考えます。一般的に、会社の規模が大きくなるほど、職場改革も難しくなります。多様な考えを持った人が集まっているため、ひとつの施策で全体の意識が変わるというようなことは困難になりがちだからです。

　規模拡大につれて働きがいが低下した、従業員規模約 200 人の K 社のエピソードを紹介します。
　K 社はベンチャー企業として急激に企業成長を遂げ、規模を拡大してきた企業です。「次のステージ」のタイミングになり、ガバナンスが強化されていきました。
　しかし、従業員は「これまで自分たちで自由につくり上げてきたが、制限が増えたので窮屈に感じる」とネガティブに受け止める人が一定数いたようです。

　一方、経営者は「規模拡大の中で、対外的な見え方を意識した発信を行っており、自分たちのステータス・レベルを一段二段上げていこうと伝えてきていたつもり」と言い、従業員の感じ方と社長の意図にギャップが生じていました。

　また、管理職が経営者の意図を従業員に伝え切れておらず、経営からの発信も数字が中心で、ビジョンや意義、方向性を伝えられていなかったようです。これらのことが経営者と従業員の認識ギャップを生む要因になったと考えられます。経営陣には、「MVV を基軸とした丁寧なコミュニケーション」と「ガバナンスと現場の裁量の

バランス」が求められていたのです。

　また、規模が拡大する中で、経験の浅い若手や入社したての中途入社者が管理職を担うことも、職場の混乱を生む要因になり得ます。若手はマネジメントの方法に自信が持てなかったり、中途入社者は前職の方法を持ち込んでマネジメントを自己流で行った結果、職場にそれがそぐわず、会社が目指す方向性にマネジメントがなされていかないことが起こり得ます。

　結果的に会社の事業戦略をスピーディに進めようにも、現場のやりくりが難航するようになるのです。

❷規模拡大時における管理職の強化と人事制度の構築
　対策としては、会社の規模拡大と同時に次の①〜④を人事部が主導していくことが、働きがいの低下を回避する上で有効です。

①マネジメントの原理原則を管理職層で確認
　自己流に陥っていないか確認し、効果を上げるためのマネジメントの基本を習得しましょう。原理原則を押さえた上で、現状に応じてやり方を調整していくことが大切です。自分がこれまで受けてきた被マネジメント体験だけをベースとしてマネジメントを行うことは避けるべきです。

②マネジメントのあるべき姿を共有し、変化に対応できる会社をつくるために管理職に担ってほしい役割を丁寧に伝える
　経営者から直接メッセージを伝えるのもよいでしょう。また、基本を押さえた上でマネジメントの手法をアップデートしてもらいたい場合、研修やコーチングなども有効な手段となります。

③透明性の高い人事制度を構築し、適切な運用を心掛ける

　特に 300 人以下の企業が規模を拡大する中では、人事制度、とりわけ「評価制度」や「賃金制度」が公正に運用されているかが、働きがいの高低を分けることがわかっています。規模拡大、人員拡大の中で、人事制度を共有し「どういう仕事が評価されるのか」「目指すポジションに向けてどういうスキルが必要なのか」を明示し、多くの人が納得する評価基準を浸透させられるかがカギになります。

　実際に現場で人事制度を運用するのは管理職ですから、管理職が自社の人事制度の詳細を熟知していることは重要です。定期的に、評価が適切に行われているかを調査したり、ケーススタディを用いて管理職の知識をアップデートしたりといった取り組みも有効です。

④「自分らしさ」を認め合うコミュニケーションの推進

　特に 300 人以上の規模で成長している企業では、職場の連帯感が働きがいの高低を分けることがわかっています。
　規模が拡大する中で、従業員の顔と名前が一致しないことが増えてくるでしょう。そんな中では、協力し合う、認め合うコミュニケーションは自然発生的には生まれにくくなっていきます。

　意図的に会社内の連帯感を高める仕掛けを打っていくことが重要です。その時に意識したいのが、「自分らしさ」です。自分勝手に仕事をしていいという意味ではなく、さまざまな人と協働する機会においても、自分らしさを大切に、能力を最大限に発揮できる環境を協力してつくっていくことが求められるということです。それが、連帯感の向上に繋がっていきます。

　職場の連帯感を高める手前で、まずは管理職同士の連帯感や繋が

りを強める施策を打っている企業もあります。おすすめは管理職の
マネジメントナレッジを半年に一回共有する場を設けて、管理職同
士がナレッジの共有や相互交流を行うことです。

　これにより、何かあったときに他部署の管理職に相談しやすくな
るなど、管理職同士のネットワークの拡大にも寄与しています。

　働きがいを高める活動は、経営者、管理職（上司）、従業員（部
下）がそれぞれの役割を認識し、行動することで力強く前進してい
きます。そして、その活動のきっかけをつくったり、継続していけ
たりするように下支えする役割として、人事担当者（部門）が担う
役割は大きいと言えます。

　やるべきこと、やれることは多彩にあります。それぞれの役割に
おいて、自社の働きがいを高めるための具体的なアクションを1つ
でもよいので、はじめてみてほしいと思います。

5 章のまとめ

1 人的資本経営が進展すると「組織と人材がお互いに選び合う対等な関係」「自律的な関係」へと進化することが想定される

2 人的資本経営に関連した働きがいを高める施策数が多いほど、売上の伸び率も高い傾向にある

3 働きがいのある職場を目指す3原則
その1 「働きがいのある職場を目指す」と宣言すること
その2 全員が職場に向き合い、役割を果たすこと
その3 「働きがいは権利」という考えを職場に浸透させること

4 職場改革の「調査・分析」には客観的データを取り、問題を分析すること。「無記名」「忖度しない」「ベンチマークとの比較」が大事。
「改革案の選定」をする際には全社活動と職場活動を分けて検討する。調査・分析結果とともに改革案の内容を全社に共有しよう。
「ストーリーを伝える」ためには職場改革の主体者である従業員が改革内容を理解・納得できるように伝えよう。ポイントは「問題点」「対処法」「組織の未来図」が織り込まれた内容であること

5 職場改革は、「それぞれの役割を全うする」ことではじめて
動き始める

----

6 経営者は、職場改革に本気でコミットしつつ、現場に「任せ
る」。権限委譲と情報開示も丁寧に行うとよい

----

7 人事には、働きたくなる職場をともにつくる仲間を増やす、
「採用」という機会を最大限に活用すること、企業規模拡大
における働きがい低下に対処することを期待したい

　コロナ禍による強制的な働き方の変更や、その後に続くリモートワークの浸透、人的資本経営の機運の高まりなどにより、従業員エンゲージメントを高めること、すなわち働きがいを高めることが、ある種のブームになっていると感じています。

　そのこと自体を否定するものではありませんし、多くの人が働きがいを高めることに関心を持っていただけるのであれば、むしろ歓迎すべき事象だとも思っています。しかしながら、それを一過性のブームに終わらせず「働きがいを高めることが日本において当たり前になる世の中をつくりたい」と私は考えています。

　そのために私たち GPTW がグローバルで約 30 年、日本では 17 年の間に積み上げてきた職場の働きがいの高め方を、皆さんに広くお伝えしたいと思い、本書の執筆に至りました。私たちの持つ方法論と多様な企業事例は、日本企業の働きがい向上の一助になるヒントを得ていただけるものであると考えています。

　では、どうしたら働きがいを高められるのか。

　忘れてはならないのは「ひとつの手を打って、すぐに働きがいに溢れた職場になる」という魔法はないということです。現状を可視化して、全ての働く人（経営・管理者、従業員など）でそれを共有し、それぞれの立場で実践できる改革・改善行動を不断の努力で進めていくしかありません。

　ただし、それを「やらねばならないもの」「つまらないもの」として取り組んでほしくはないのです。職場で仲間や上司と小さな成果を喜び合いながら、おもしろがりながら、自分たちの職場が働きがいに溢れたものになったときの状態をイメージしながら進めてい

ただきたいと思います。働きがいのある会社は、経営者や人事部が勝手につくってくれるものではありません。「"誰か"がよくしてくれる」ではなく「私が」職場を変えていく。そういう思いで本書を手に取り、思いを同じくする職場の仲間と対話を始めていただけたら、こんなに嬉しいことはありません。

　働きがいの高い職場で働くことは、一人一人の権利だと私は思っています。全ての人が自分にとって働きがいのある職場を自らの手でつくり出し、そして「最高の職場だ」と胸を張れる日が近い将来に必ず来ると信じて、皆さんとともに、日本の職場の働きがいを高める活動を推進していきたいと思っています。

　最後になりましたが、事例を提供してくださった認定・ランキング選出企業の皆さんにこの場を借りて心から御礼申し上げます。日本企業の働きがいを高める上でベストカンパニーの皆さんの事例は何よりも価値あるものです。これからも、新たな試行錯誤をもってさらに働きがいを高め続けていかれることと思います。その時にはまた素晴らしい最新事例を共有いただければ幸いです。

　また、本書の出版に際して編集者の田中隆博さんにはたくさんの示唆をいただきましたこと御礼申し上げます。そして日々、働きがいのある会社を日本中に増やしていくというミッション・ビジョンに共感し、ともに活動してくれている GPTW Japan のメンバーに、心から感謝いたします。

　本書を手に取り、そして最後までお読みいただき、本当にありがとうございました。

　日本の職場に、働きがいを。

索引

英字

MVV
126, 130, 132, 155, 230

VUCA
82, 200

あ行

イノベーティブな職場
96, 115, 136

衛生要因
30, 135

エンゲージメント
28, 62, 104

か行

改革のストーリー
204, 210, 213

外発的動機付け
122

喜怒哀楽の書き起こし
123, 124, 146

共創
64, 115

グループ・シンク（集団浅慮）
166

権限委譲
79, 219, 220, 222

現場力の再生
54

貢献実感
29, 59, 60, 62, 68

さ行

財務的成長
36, 39, 101, 200

自己実現
24, 27, 29, 31, 32, 71

自分ごと化
72, 129, 134

情報開示
74, 167, 220

自律
106, 115, 132, 137, 144, 197, 201, 219

人材獲得力
166

人的資本経営
200, 202, 208

心理的安全性
59, 60, 75, 77, 134, 154

スパン・オブ・コントロール
214

全員型「働きがいのある会社」モデル
100

た行

ダイバーシティ＆インクルージョン
（D＆I）
146, 164, 166, 168, 170

男女間賃金格差
173

チームワークの希薄化
140

動機付け要因
30

な行

内発的動機付け
122

年功序列
50, 52

は行

パーパス
67, 71

働きがいを求める権利
42, 205

働きやすさ投資
30, 134, 136

バックオフィス
62, 143

非財務的成長
39, 200

人の潜在能力の最大化
98, 100

ぶら下がり社員
69, 70

ポストオフ
184, 186

ま行

マズローの欲求5段階説
31, 32

モチベーションの推移曲線
123, 125, 146

や行

やりがい搾取
30, 35, 56, 136

優秀な人材
33, 69, 70, 74, 110, 201

ら行

リーダーシップ
63, 64, 67, 100, 104

離職率
60, 66, 80, 158, 192

リモートワーク
29, 88, 137, 138, 140, 142, 144, 218

レンガ積み職人の話
152

わ行

ワークライフバランス
30, 134, 138, 173

【著者紹介】

荒川 陽子（あらかわ・ようこ）

●——Great Place To Work® Institute Japan代表（株式会社働きがいのある会社研究所代表取締役社長）。

●——2003年HRR株式会社（現株式会社リクルートマネジメントソリューションズ）入社。営業職として中小から大手企業までを幅広く担当。顧客企業が抱える人・組織課題に対するソリューション提案を担う。

●——2012年から管理職として営業組織をマネジメントしつつ、2015年には同社の組織行動研究所を兼務し、女性活躍推進テーマの研究を行う。2020年より現職。

●——コロナ禍をきっかけに働き方と生活のあり方を見直し、小田原に移住。自然豊かな環境での子育てを楽しみつつ、日本社会に働きがいのある会社を一社でも増やすための活動をしている。

Great Place To Work® Institute Japan
（株式会社働きがいのある会社研究所）

●——日本において「働きがいのある会社（Great Place To Work®）」の調査・評価・支援を行う専門機関。

●——働く人の声と会社の取り組みの両面から企業を調査し、一定水準を満たした企業を「働きがい認定企業」「働きがいのある会社」ランキングとして発表している。

HP：https://hatarakigai.info/

働きたくなる職場のつくり方

2023年5月22日　　第1刷発行

著　者——荒川　陽子

発行者——齊藤　龍男

発行所——株式会社かんき出版

東京都千代田区麴町4-1-4 西脇ビル　〒102-0083
電話　営業部：03(3262)8011㈹　編集部：03(3262)8012㈹
FAX　03(3234)4421　　　　振替　00100-2-62304
https://kanki-pub.co.jp/pub/

印刷所——新津印刷株式会社